孙幼军　著
裘兆明　图

小猪唏哩呼噜

下

北方联合出版传媒(集团)股份有限公司
春风文艺出版社
·沈阳·

ⓒ 孙幼军　2011

图书在版编目（CIP）数据

小猪唏哩呼噜：彩色注音版. 下 / 孙幼军著. —
沈阳：春风文艺出版社，2011.6（2019.10重印）
（aoe系列）
ISBN 978-7-5313-4005-8

Ⅰ.①小⋯　Ⅱ.①孙⋯　Ⅲ.①汉语拼音 — 儿童读物
Ⅳ.① H125.4

中国版本图书馆 CIP 数据核字（2011）第 073364 号

北方联合出版传媒（集团）股份有限公司
春风文艺出版社出版发行
地址：沈阳市和平区十一纬路25号　邮政编码：110003
联系电话：024-23280188
春风文艺出版社　网址：www.chunfengwenyi.com
小布老虎工作室　主页：xblh.chinachunfeng.net
辽宁新华印务有限公司印刷

幅面尺寸：180mm×210mm	印　　张：6.5
字　　数：120千字	
2011年6月第1版	2019年10月第44次印刷
责任编辑：单瑛琪	责任校对：潘晓春
封面设计：冯少玲	印制统筹：刘　成

定价：25.00元

目 录

1 哇呜老师很和气
wā wū lǎo shī hěn hé qi

zhū bà ba duì xī li hū lū shuō　　　　nǐ bù néng lǎo zài jiā táo
猪爸爸对唏哩呼噜说："你不能老在家淘

qì　yīng gāi shàng xué le
气，应该上学了！"

xiǎo zhū xī li hū lū hěn xǐ huan bēi zhe shū bāo qù shàng xué　　　kě
小猪唏哩呼噜很喜欢背着书包去上学。可

shì tā yì tīng shuō lǎo shī shì
是他一听说老师是

yì zhī dà láng　　　jiù jiān zhe
一只大狼，就尖着

sǎng mén er jiào qǐ lái　　　wǒ
嗓门儿叫起来："我

bú yào shàng xué　　wǒ bú yào
不要上学！我不要

shàng xué
上学！"

zhū mā ma shuō　　　méi
猪妈妈说："没

1

事儿！哇呜老师很和气的。马阿姨家的白白，也在他那儿上学嘛！"

唏哩呼噜不相信大狼会很和气，他跑去问小马驹白白。白白说："老师还可以，有时候也发脾气。我爸发脾气踢我，好疼！哇呜老师顶多是敲桌子，从来不踢不打。"

"咬不咬？"

"不咬。他气极了，就龇出白牙大叫：'你们当我是谁？我是一只大狼！'"

"好凶嘛！"

"对啦，样子很凶的。可是我

们都不怕他。"

第二天，小猪

还是跟着白白上学去了。一路上，他的心"咚咚"地打鼓。

大狼老师正站在门口等着学生。远远地看见大狼老师，小猪吓得一下子藏到大树后头。白白站住说："走哇，不要紧的！"

小猪说："不行！我认识这只大狼。有一回他把我叼走了，想吃我，要把我分着装进他三个孩子的肚子里！"

白白笑起来："瞎说什么呀！哇呜老师最爱吃烤白薯。再说，他根本就没有孩子！"

这时候，大狼老师也看见他们了。他喊："白白，早上好！"

白白扯住唏哩呼噜，一起走上去。大狼老师朝唏哩呼噜一鞠躬，高兴地说："哇，又有新

3

tóng xué lái la　huān yíng huān yíng　nǐ jiào shén me míng zi ya
同学来啦！欢迎，欢迎！你叫什么名字呀？"

xiǎo zhū lián máng jū gōng　huí dá shuō　jiào xī li hū lū
小猪连忙鞠躬，回答说："叫唏哩呼噜……"

xiǎo zhū xīn lǐ hěn hài pà　zhè zhèng shì diāo zǒu tā de nà ge dà
小猪心里很害怕，这正是叼走他的那个大

láng xiān sheng ma
狼先生嘛！

bú guò　zhè wèi　wā wū lǎo shī　hǎo xiàng shòu yì xiē　yě hé
不过，这位"哇呜老师"好像瘦一些，也和

qì de duō　nà ge dà láng gēn běn bú huì xiào　zǒng shì bǎn zhe liǎn
气得多。那个大狼根本不会笑，总是板着脸。

yòu yǒu xǔ duō xiǎo xué shēng zǒu guò lái　wā wū lǎo shī máng zhe
又有许多小学生走过来。哇呜老师忙着

xiàng tā men jū gōng shuō　zǎo shang hǎo　bái bai yì biān lā zhe xī
向他们鞠躬，说"早上好"。白白一边拉着唏

li hū lū zǒu jìn qù　yì biān shuō　tǐng hǎo de ba　bú piàn nǐ
哩呼噜走进去，一边说："挺好的吧？不骗你。"

xī li hū lū
唏哩呼噜

wèn　zěn me nǐ men
问："怎么你们

bù gěi lǎo shī xíng lǐ
不给老师行礼，

lǎo shī fǎn dào gěi nǐ
老师反倒给你

men jū gōng a
们鞠躬啊？"

4

zhèng hǎo yì zhī xiǎo hú li bēi zhe shū bāo zǒu zài tā men shēn hòu
正好一只小狐狸背着书包走在他们身后。

xiǎo hú li hěn shén qì de shuō wǒ men yǎng huo tā tā bù jū gōng
小狐狸很神气地说:"我们养活他,他不鞠躬

xíng ma
行吗?"

zhè zhī xiǎo hú li míng jiào dīng ding tā bà ba jiù shì kāi gāo diǎn
这只小狐狸名叫丁丁,他爸爸就是开糕点

gōng sī de nà ge hú li zhǎng guì xiǎo zhū rèn shi hú li zhǎng guì kě
公司的那个狐狸掌柜。小猪认识狐狸掌柜,可

bù zhī dào dīng ding shì tā de ér zi
不知道丁丁是他的儿子。

jiào shì jiù shì wā wū lǎo shī zhù de wū zi
教室就是哇呜老师住的屋子。

děng dào xué shēng lái le hǎo duō wā wū lǎo shī pǎo jìn lái xiào
等到学生来了好多,哇呜老师跑进来,笑

zhe wèn dà jiā tóng xué men dài xué fèi lái le ma
着问大家:"同学们带学费来了吗?"

xiǎo mǎ jū bái bai zǒu dào jiǎng tái nà er qù cóng shū bāo li tāo
小马驹白白走到讲台那儿去,从书包里掏

chū liǎng kuài kǎo bái shǔ fàng zài zhuō shang wā wū lǎo shī kuài huo de
出两块烤白薯,放在桌上。哇呜老师快活地

hǎn wā kǎo bái shǔ hái shi rè de ō duì bu qǐ
喊:"哇,烤白薯,还是热的!噢,对不起……"

tā yì shǒu zhuā zhù yí gè zhuǎn guò shēn qù děng tā zài zhuǎn huí
他一手抓住一个,转过身去。等他再转回

5

身来的时候，两块烤白薯都没了，就跟变魔术一样。哇呜老师掏出手帕擦擦嘴巴，红着脸说：

"呃！对不……呃！对不起！我昨天晚……呃！昨天晚上没吃东西。呃！"

唏哩呼噜小声问："老师怎么了？"

白白咬着唏哩呼噜的耳朵说："好像是吃得太快，噎住了……你瞧，是不是老师最爱吃烤白薯？"

唏哩呼噜走到前边，掏出一个窝头放在桌上。小狐狸丁丁他们也都一个接一个地走上去。丁丁对小猪说："窝头算什么呀，我的是

6

点心！"

他从书包里扯出一个纸袋子，"哗啦"一下子，把里边的东西都倒在桌子上。那是一堆碎点心渣子，里头有好多糕点的碎皮，有芝麻粒儿，还有两只蟑螂。哇呜老师正要把蟑螂捡出去，它们自己就慌慌张张逃走了。哇呜老师跟小狐狸丁丁商量："就装在纸袋里吧，好吗？"

丁丁说："不好。纸袋我还有用呢！"

他往空纸袋里吹一口气，接着举到老师鼻子前头，双手使劲一拍。"啪！"纸袋裂开来，声音好响，大伙儿都笑了。

两只羊羔、一只小猴子、一个熊崽子、一头牛犊……他们也都把带来的"学费"放到桌上，有的是一根胡萝卜，有的是一把黄豆，有的是两个铜板。

每个学生送东西的时候，大狼老师都朝他鞠躬，说"谢谢啦"。他拿来个小篮子，把东西都装进去。看样子，哇呜老师最喜欢的还是铜板。他一瞧见铜板，眼睛就亮了，急忙抓起来放进衣袋里。

2 上课非常好玩儿

哇呜老师的屋子很小，十几个学生就挤得满满的。

上课的时候，随便你坐在哪儿。学生有的坐在桌子上，有的坐在床上，有的坐在地板上。小猴子安安干脆骑在灯罩上，把书包往电线上一拴，两条腿荡来荡去的。小猪唏哩呼噜看见小狐狸丁丁的身旁有个空隙，就挤着坐下来。

讲台是摞起来的两个破木

9

箱，黑板也是大狼老师自己动手做出来的——用锅底灰掺上胶水往粉墙上一涂，四四方方，远远看去，跟挂着一块真黑板似的。

哇呜老师看看手表，就举起一个大铃铛，使劲摇起来，还喊着："上课啦！上课啦！"

头一堂是语文课，哇呜老师刚一开讲，小花猫咪咪就拼命叫起来："老师，他抢我的蝴蝶结！"

小猪看得很清楚，是小猴子安安趁着老师转身写字，把尾巴缠在吊灯上打了个秋千，一把抓走了咪咪头顶上的蝴蝶结。

"把蝴蝶结还给她，安安，"哇呜老师说，

"不可以欺负女孩子的！"

小猪看见安安把蝴蝶结丢下来，刚松了一

口气，忽然觉得自己的一只耳朵像是给大马蜂

叮了一口。他忍不住"吱儿吱儿"地叫出声来。

哇呜老师问："唏哩呼噜，怎么啦？"

小猪指着小狐狸丁丁说："他使劲儿咬我

耳朵一口，好疼！"

哇呜老师说："丁丁，不许欺负新同学！"

他的话音刚落，坐在床上的熊崽子又哼

哼唧唧地说起来。哇呜老师问："黑黑，你嘟

嘟囔囔讲什么呢？"

熊崽子说："我说老师的床……一点儿都不

好，净是水……"

11

净是水？

哇呜老师挤过去看，床上果真湿了一大片。

他抬头看看，天棚上虽然垂下一片纸，却并不滴水。那是上回下雨，房顶漏水弄坏的。现在外边是大晴天，房顶怎么会漏雨呢！

他又扭头看看小柜子。小柜子上给学生预备的水杯也都好好地摆在那儿，一个都不少。

"怎么回事？"哇呜老师问坐在床上的羊羔兄弟，"是不是你们又带来了可口可乐？拿出

来！"

羊羔哥哥张张嘴巴没说话。羊羔弟弟胆怯地看了熊崽子一眼，低声说："我们没带可乐。是黑黑撒尿了……"

满屋的学生一齐哈哈笑起来，原来床上那"水"是小熊自己弄的！小狐狸丁丁带头儿起哄，一边怪叫，一边双手拍桌子、两脚跺地板。小猴子把两个指头塞进嘴里，冲着下面拼命吹口哨。这一通闹，差点儿把房顶掀起来！

唏哩呼噜觉得非常开心，也跟着大家乱叫一气。原来，上课这么好玩儿！

等孩子们闹够了，哇呜老师对熊崽子黑黑说："以后不要再这么干啦！你看，褥子都湿透了，晚上老师还怎么睡觉？要想撒尿，你就举起手来，说'老师我要撒尿'……"

他刚说到这儿，吊灯上的安安就举起手来喊："老师，我要撒尿！"

接下来，屋子里举起一片蹄子、爪子，大伙儿都叫："老师，我也要撒尿！"

哇呜老师没办法，行啊，也正好趁这工夫，把床单和褥子都掀下来，拿到院子里去晾晒。

14

他就说："好，都去吧！"

在院子里，哇呜老师一边往绳子上挂床单、褥子什么的，一边东张西望，不停地叫喊："别往院子外头跑——说你哪，你给我回来！喂，安安，你爬树干什么？厕所又不在树上！嘿，小汪汪，你怎么往我饭锅里尿哇？……"

好不容易把学生一个一个地都弄回来，哇呜老师满头大汗地开始讲课。他刚刚说了两句，小猪唏哩呼噜就趴在地板上睡着了，他打呼噜的声音很响，逗得大家哈哈笑。哇呜老师向学生们解释："别乐！他们猪家的人原本觉就多，这孩子小，又是头一天上学。让他睡一会儿吧，你们就当没听见！"

可是小猪的呼噜越打越响，压倒了老师讲

15

课的声音，大家不笑也没用。哇呜老师只好拿来一张报纸，把小猪的头蒙起来，指望这样能让声音小点儿。没想到小猪打个呼噜，报纸就一鼓。三鼓两鼓的，报纸让他吹得飞上半空。

哇呜老师怔了一下，又取来洗脸盆，扣在小猪头上。可是这回更麻烦了，呼噜声一下子扩大了好几倍，原先是：

呼——噜！呼——噜！

现在变成了：

轰——隆！轰——隆！

sì miàn qiáng bì zhèn dòng péng dǐng shang shuā shuā de wǎng xià diào
四面墙壁震动，棚顶上"唰唰"地往下掉

tǔ   dà huǒ er yě gù bú shàng xiào le   dōu bǎ ěr duo shǐ jìn er wǔ zhù
土。大伙儿也顾不上笑了，都把耳朵使劲儿捂住。

xìng hǎo xià kè de shí jiān dào le   wā wū lǎo shī kàn kan shǒu
幸好下课的时间到了。哇呜老师看看手

biǎo   jǔ qǐ dà líng dang   shǐ jìn er yáo qǐ lái
表，举起大铃铛，使劲儿摇起来。

nǐ dàng wǒ shì shéi   wǒ shì yì zhī dà láng
你当我是谁？我是一只大狼！

dì èr táng shì suàn shù kè
第二堂是算术课。

xī li hū lū bú zài shuì jiào   tā hěn xǐ huan suàn shù   bà ba
唏哩呼噜不再睡觉，他很喜欢算术。爸爸

hé mā ma de suàn shù dōu yì tā
和妈妈的算术都一塌

hú tú   mǎi dōng xi zěn me yě
糊涂，买东西怎么也

shǔ bù qīng   lǎo shì shòu piàn
数不清，老是受骗。

xī li hū lū dǒng de   yǐ hòu
唏哩呼噜懂得，以后

jiā li quán kào tā la
家里全靠他啦！

18

wā wū lǎo shī yáo wán líng   jiù zài hēi bǎn shang xiě le
哇呜老师摇完铃，就在黑板上写了：

$$3 + 5 =$$

tā zhuǎn guò shēn lái wèn xué shēng   shéi huì suàn   jǔ qǐ shǒu lái
他转过身来问学生：“谁会算？举起手来！”

xiǎo zhū zuì xiān jǔ shǒu   kě shì wā wū lǎo shī méi jiào tā   lǎo
小猪最先举手，可是哇呜老师没叫他。老

shī kàn jiàn xiǎo hú li dīng ding zhèng zài qiǎng mī mi de wén jù hé   jiù yī
师看见小狐狸丁丁正在抢咪咪的文具盒，就一

zhǐ tā shuō   dīng ding   nǐ shàng lái suàn
指他说：“丁丁，你上来算！”

xiǎo hú li huāng huāng zhāng zhāng zǒu dào hēi bǎn nà er   zài shàng tou
小狐狸慌慌张张走到黑板那儿，在上头

xiě le yí gè
写了一个：

$$7$$

wā wū lǎo shī wèn dà
哇呜老师问大

jiā   dīng ding suàn de duì ma
家：“丁丁算得对吗？”

yǒu hǎn   bú duì   de
有喊“不对”的，

yě yǒu hǎn   duì   de   xiǎo
也有喊“对”的。小

zhū shuō   bú duì   sān jiā
猪说：“不对，三加

19

wǔ děng yú bā
五 等 于 八 。"

wā wū lǎo shī shuō　　xī li hū lū suàn de duì　　yīng gāi shì bā
哇呜老师说："唏哩呼噜算得对，应该是八。"

xiǎo hú li hā hā xiào　　xī li hú tú hái néng duì　　míng míng
小狐狸哈哈笑："稀里糊涂还能对？明明

shì qī ma
是 七 嘛！"

wā wū lǎo shī shuō　　　　dīng ding nǐ qiáo zhe　　nà tiān nǐ jiǎo
哇呜老师说："丁丁你瞧着，那天你缴

de xué fèi shì sān lì pú tao　　　　tā zài hēi bǎn shang huà le sān
的学费是三粒葡萄……"他在黑板上画了三

gè quān er　　　dì èr tiān　　nǐ yòu jiǎo le wǔ lì pú tao
个圈儿，"第二天，你又缴了五粒葡萄……"

tā yòu zài hēi bǎn shang huà le
他又在黑板上画了

wǔ gè quān er　　hǎo　　xiàn
五个圈儿，"好，现

zài nǐ shǔ shu　　yí gòng shì
在你数数，一共是

jǐ lì
几粒？"

dīng ding shuō　　shén me
丁丁说："什么

shén me ya　　pú tao gēn běn méi
什么呀！葡萄根本没

nà me dà　　dōu huà chéng jú zi la
那么大，都画成橘子啦！"

20

哇呜老师说："甭管是什么吧，你数数，总共是几个？"

丁丁不想输给小猪。他数着说："一、二、三、四、五、六、七。是七个！"

哇呜老师说："不对，再数一次！"

丁丁又数一回，还说是"七"。

哇呜老师有点儿急了。他说："你怎么连数数儿都不会？"

丁丁说："就是七嘛！别听傻小猪的，你问安安，他爸是税务局局长，算术好着哪！"

小猴子安安在吊灯上喊：“没错儿，就是七！”

丁丁又问：“小汪汪，你说呢？”

狗崽子小汪汪说：“当然是七！我爸是商业局局长，算术也好！”

哇呜老师说：“你们这帮孩子，今天犯了什么毛病？来，我指着，大家一齐数！”

丁丁急忙跑到前头，趴在老师的耳朵上说：“别数了，你就说‘丁丁算对了’，不就得啦。要是你说是七，明天早晨我给你带来七块奶油蛋糕，上头挤着好多奶花儿的那种！要是

你说等于八，明天

我连点心渣子都不

带，就给你八粒芝

麻！还让安安、小

汪汪他们什么都

不带，饿你三天！"

小猪唏哩呼噜听不见小狐狸说什么。他只

看见，哇呜老师听了丁丁的话，两只眼睛发直，

好像傻了一样。

哇呜老师在想：

是呀，安安、小汪汪

他们都听丁丁的话，

要真是三天里什么东

西都不带来……哇！

<ruby>一<rt>yì</rt></ruby> <ruby>屋<rt>wū</rt></ruby> <ruby>子<rt>zi</rt></ruby> <ruby>的<rt>de</rt></ruby> <ruby>学<rt>xué</rt></ruby>

<ruby>生<rt>shēng</rt></ruby> <ruby>都<rt>dōu</rt></ruby> <ruby>盯<rt>dīng</rt></ruby> <ruby>着<rt>zhe</rt></ruby> <ruby>哇<rt>wā</rt></ruby> <ruby>呜<rt>wū</rt></ruby> <ruby>老<rt>lǎo</rt></ruby>

<ruby>师<rt>shī</rt></ruby> 。 <ruby>他<rt>tā</rt></ruby> <ruby>们<rt>men</rt></ruby> <ruby>不<rt>bù</rt></ruby> <ruby>知<rt>zhī</rt></ruby> <ruby>道<rt>dào</rt></ruby>

<ruby>丁<rt>dīng</rt></ruby> <ruby>丁<rt>ding</rt></ruby> <ruby>说<rt>shuō</rt></ruby> <ruby>了<rt>le</rt></ruby> <ruby>什<rt>shén</rt></ruby> <ruby>么<rt>me</rt></ruby> ，

<ruby>把<rt>bǎ</rt></ruby> <ruby>老<rt>lǎo</rt></ruby> <ruby>师<rt>shī</rt></ruby> <ruby>吓<rt>xià</rt></ruby> <ruby>成<rt>chéng</rt></ruby> <ruby>这<rt>zhè</rt></ruby> <ruby>般<rt>bān</rt></ruby>

<ruby>模<rt>mú</rt></ruby> <ruby>样<rt>yàng</rt></ruby> 。

<ruby>忽<rt>hū</rt></ruby> <ruby>然<rt>rán</rt></ruby> ， <ruby>哇<rt>wā</rt></ruby> <ruby>呜<rt>wū</rt></ruby> <ruby>老<rt>lǎo</rt></ruby> <ruby>师<rt>shī</rt></ruby> <ruby>一<rt>yí</rt></ruby> <ruby>跳<rt>tiào</rt></ruby> <ruby>三<rt>sān</rt></ruby> <ruby>尺<rt>chǐ</rt></ruby> <ruby>高<rt>gāo</rt></ruby> 。 <ruby>他<rt>tā</rt></ruby> <ruby>龇<rt>zī</rt></ruby> <ruby>出<rt>chū</rt></ruby> <ruby>雪<rt>xuě</rt></ruby> <ruby>白<rt>bái</rt></ruby>

<ruby>的<rt>de</rt></ruby> <ruby>牙<rt>yá</rt></ruby> <ruby>齿<rt>chǐ</rt></ruby> ， <ruby>冲<rt>chòng</rt></ruby> <ruby>着<rt>zhe</rt></ruby> <ruby>小<rt>xiǎo</rt></ruby> <ruby>狐<rt>hú</rt></ruby> <ruby>狸<rt>li</rt></ruby> <ruby>大<rt>dà</rt></ruby> <ruby>发<rt>fā</rt></ruby> <ruby>脾<rt>pí</rt></ruby> <ruby>气<rt>qi</rt></ruby> ：" <ruby>你<rt>nǐ</rt></ruby> <ruby>当<rt>dàng</rt></ruby> <ruby>我<rt>wǒ</rt></ruby> <ruby>是<rt>shì</rt></ruby> <ruby>谁<rt>shéi</rt></ruby> ？

<ruby>我<rt>wǒ</rt></ruby> <ruby>是<rt>shì</rt></ruby> <ruby>一<rt>yì</rt></ruby> <ruby>只<rt>zhī</rt></ruby> <ruby>大<rt>dà</rt></ruby> <ruby>狼<rt>láng</rt></ruby> ！' <ruby>大<rt>dà</rt></ruby> <ruby>狼<rt>láng</rt></ruby> ' <ruby>你<rt>nǐ</rt></ruby> <ruby>懂<rt>dǒng</rt></ruby> <ruby>不<rt>bù</rt></ruby> <ruby>懂<rt>dǒng</rt></ruby> ？ <ruby>我<rt>wǒ</rt></ruby> <ruby>就<rt>jiù</rt></ruby> <ruby>是<rt>shì</rt></ruby> <ruby>饿<rt>è</rt></ruby>

<ruby>上<rt>shàng</rt></ruby> 30 <ruby>天<rt>tiān</rt></ruby> ， <ruby>也<rt>yě</rt></ruby> <ruby>不<rt>bù</rt></ruby> <ruby>能<rt>néng</rt></ruby> <ruby>胡<rt>hú</rt></ruby> <ruby>说<rt>shuō</rt></ruby> <ruby>八<rt>bā</rt></ruby> <ruby>道<rt>dào</rt></ruby> ， <ruby>误<rt>wù</rt></ruby> <ruby>人<rt>rén</rt></ruby> <ruby>子<rt>zǐ</rt></ruby> <ruby>弟<rt>dì</rt></ruby> ！' <ruby>误<rt>wù</rt></ruby> <ruby>人<rt>rén</rt></ruby>

<ruby>子<rt>zǐ</rt></ruby> <ruby>弟<rt>dì</rt></ruby> ' <ruby>你<rt>nǐ</rt></ruby> <ruby>懂<rt>dǒng</rt></ruby> <ruby>不<rt>bù</rt></ruby> <ruby>懂<rt>dǒng</rt></ruby> ？ <ruby>小<rt>xiǎo</rt></ruby> <ruby>狐<rt>hú</rt></ruby> <ruby>狸<rt>li</rt></ruby> <ruby>崽<rt>zǎi</rt></ruby> <ruby>子<rt>zi</rt></ruby> ， <ruby>我<rt>wǒ</rt></ruby> <ruby>告<rt>gào</rt></ruby> <ruby>诉<rt>su</rt></ruby> <ruby>你<rt>nǐ</rt></ruby> ： <ruby>三<rt>sān</rt></ruby> <ruby>加<rt>jiā</rt></ruby>

<ruby>五<rt>wǔ</rt></ruby> <ruby>等<rt>děng</rt></ruby> <ruby>于<rt>yú</rt></ruby> <ruby>八<rt>bā</rt></ruby> ！ <ruby>等<rt>děng</rt></ruby> <ruby>于<rt>yú</rt></ruby> <ruby>八<rt>bā</rt></ruby> ！！ <ruby>等<rt>děng</rt></ruby> <ruby>于<rt>yú</rt></ruby> <ruby>八<rt>bā</rt></ruby> ！！！"

<ruby>他<rt>tā</rt></ruby> <ruby>一<rt>yì</rt></ruby> <ruby>声<rt>shēng</rt></ruby> <ruby>比<rt>bǐ</rt></ruby> <ruby>一<rt>yì</rt></ruby> <ruby>声<rt>shēng</rt></ruby> <ruby>高<rt>gāo</rt></ruby> ， <ruby>把<rt>bǎ</rt></ruby> <ruby>大<rt>dà</rt></ruby> <ruby>伙<rt>huǒ</rt></ruby> <ruby>儿<rt>er</rt></ruby> <ruby>都<rt>dōu</rt></ruby> <ruby>吓<rt>xià</rt></ruby> <ruby>坏<rt>huài</rt></ruby> <ruby>了<rt>le</rt></ruby> 。 <ruby>小<rt>xiǎo</rt></ruby>

<ruby>猴<rt>hóu</rt></ruby> <ruby>子<rt>zi</rt></ruby> <ruby>最<rt>zuì</rt></ruby> <ruby>先<rt>xiān</rt></ruby> <ruby>从<rt>cóng</rt></ruby> <ruby>吊<rt>diào</rt></ruby> <ruby>灯<rt>dēng</rt></ruby> <ruby>上<rt>shang</rt></ruby> <ruby>蹦<rt>bèng</rt></ruby> <ruby>下<rt>xià</rt></ruby> <ruby>来<rt>lái</rt></ruby> ， <ruby>三<rt>sān</rt></ruby> <ruby>跳<rt>tiào</rt></ruby> <ruby>两<rt>liǎng</rt></ruby> <ruby>跳<rt>tiào</rt></ruby> <ruby>就<rt>jiù</rt></ruby> <ruby>蹿<rt>cuān</rt></ruby> <ruby>出<rt>chū</rt></ruby>

mén qù　xiǎo hú li
门 去 。 小 狐 狸

dīng ding hé gǒu zǎi zi
丁 丁 和 狗 崽 子

xiǎo wāng wang jǐn gēn zhe
小 汪 汪 紧 跟 着

tā táo chū fáng mén
他 逃 出 房 门 。

jiē zhe　bié de xué
接 着 ， 别 的 学

shēng yě yì wō fēng shì de cóng wū zi li yōng chū qù
生 也 一 窝 蜂 似 的 从 屋 子 里 拥 出 去 。

xī li hū lū bèi rén jia zhuàng le gè dà gēn tou　suǒ yǐ pǎo zài
唏 哩 呼 噜 被 人 家 撞 了 个 大 跟 头 ， 所 以 跑 在

zuì hòu　tā jīng huāng shī
最 后 。 他 惊 慌 失

cuò de shí hou yě méi wàng
措 的 时 候 也 没 忘

jì bà ba jiāo gěi tā de
记 爸 爸 教 给 他 的

lǐ mào　huí guò tóu qù
礼 貌 ， 回 过 头 去

shuō le yì shēng　lǎo
说 了 一 声 ： " 老

shī zài jiàn
师 再 见 ！ "

4 zán men shì lǎo péng you la
咱们是老朋友啦！

dì èr tiān zǎo chen xiǎo zhū qù shàng kè　kàn jiàn wā wū lǎo shī jiā
第二天早晨小猪去上课，看见哇呜老师家

de mén jǐn jǐn guān zhe　mén fèng shang jiāo chā zhe tiē le liǎng zhāng huáng sè
的门紧紧关着。门缝上交叉着贴了两张黄色

de fēng tiáo　hǎo xiàng gè dà chéng hào
的封条，好像个大乘号。

xiǎo zhū wèn xiǎo mǎ jū bái bai　zhè shì zěn me yì huí shì ya
小猪问小马驹白白："这是怎么一回事呀？"

bái bai shuō　wǒ yě bù zhī dào　zán men wèn wen lǘ bó bo ba
白白说："我也不知道。咱们问问驴伯伯吧！"

mài hún tun de lǘ zhǎng guì
卖馄饨的驴掌柜，

zhèng zhàn zài rè qì téng téng de dà
正站在热气腾腾的大

guō qián tou máng zhe　tā huí dá
锅前头忙着。他回答

liǎng gè hái zi shuō　jīn er zǎo
两个孩子说："今儿早

chen bān zǒu la　méi qiáo jiàn mén
晨搬走啦！没瞧见门

ràng rén jia fēng le　bān le jiù
让人家封了？搬了就

26

搬了吧！——他跟我做了半年街坊，连一碗馄饨都没买过，反倒问我要了两回汤。那么一个穷小子，跟他能学出什么来？学受穷？"

唏哩呼噜刚上一天学就没书读了。猪太太十分着急，抱怨猪先生不赶紧想办法。猪先生说："我也着急呀！我听说新办的一个学校很好，今天就去找鳄鱼校长。没想到鳄鱼校长说，在他们那个学校读书，一个孩子要缴一百万……"

猪太太插嘴说："你是想说'一百元'吧？"

猪先生说："不，是一、百、万！"

猪太太吓得差点儿晕过去。好半天，她才说："还不如让他把我一口吞下去呢——就算一斤卖50块，我也顶多能卖一万块钱！"

唏哩呼噜不上学，就到处闲逛。有一天，他正在大街上走，一辆崭新的摩托车迎面飞驰过来，"嘎——"一声停在他面前。

"你好哇，唏哩呼噜！"驾车的大个子跳下来，向他打招呼。

那大个子又摘下头盔。呀，是哇呜老师！

哇呜老师穿着一件崭新的皮夹克，还有一双闪亮的黑皮靴，跟原先大不一样了！老师向四周瞧瞧，说："这儿正好有个酒吧，来，老师请你吃冰激凌！"

28

酒吧里很清静。他们在很舒服的椅子上坐下，哇呜老师给唏哩呼噜点了蛋糕和冰激凌，自己只要了一大杯啤酒。

小猪从来没吃过味道这么好的东西。他"唏哩呼噜"地吃下一盘蛋糕、三份冰激凌之后才说："我跟白白去上学，找不到老师啦！"

哇呜老师说："丁丁生气了，让他爸爸去找商业局的狗局长，还有税务局的猴子局长。两位局长就来找我，一个说我吓唬学生，吊销了我的营业执照；一个说我收入的点心渣子和烤白薯什么的，都没缴税，是偷税漏税。这么着，就把我的门给封了——猫小姐，请再给我们一盘点心、两份冰激凌。"

小猪说："够啦！一百块钱一盘，好贵……"

哇呜老师笑起来："到底是吃够了，还是嫌贵呀？别客气，咱们是老朋友啦！"

老朋友？他就上了一天课！

小猪怔怔地看着哇呜老师。

哇呜老师说："谢谢你救了我的三个孩子！要不是你，月牙熊先生准得把他们吃掉！"

呀，哇呜老师果真是那只大狼！

不过，这回唏哩呼噜一点儿也没害怕。大狼先生正在很感激地望着他，泪水在眼眶里打转转。

"你还挖了蚯蚓给他们吃。"哇呜老师说，"我怎么弄不到那东西？我挖了好多地方，挖得好深，就是找不到！"

小猪说："蚯蚓不是什么地方都有的。要

找又低又潮湿的泥土，最好上面还盖着烂树叶子。"

哇呜老师说："是吗？啊，唏哩呼噜真是个有学问的小猪！吃蛋糕，吃吧！"

小猪问："找到您的枪了吗？"

哇呜老师说："当然！根本不用找，就放在我屋子里嘛，这也要谢谢你！不过，那支枪已经没了，让我卖掉啦。唉，多好的枪！有什么办法呢？得吃饭哪！我的那三个娃娃让我宠坏了，我总想，他们没了妈妈，太可怜。结果是，除了鱼和肉，他们什么都不吃！后来没辙了，我就到镇上来教书。可是这帮屁孩子，净给些白薯、点心渣子、窝头什么的，我的三个娃娃根本就不吃……噢，对不起，我不是说你。你们

zhū jiā jìng hē xī de　　gěi wǒ dài lái wō tóu jiù bù róng yì la　　wǒ
猪 家 净 喝 稀 的，给 我 带 来 窝 头 就 不 容 易 啦！我

yí jiàn zháo tóng bǎn jiù tè bié gāo xìng　yīn wèi　　wǒ kě yǐ gěi sān gè
一 见 着 铜 板 就 特 别 高 兴，因 为，我 可 以 给 三 个

wá wa mǎi xiē xiǎo yú　xiǎo xiā le
娃 娃 买 些 小 鱼、小 虾 了！"

xiǎo zhū wèn　　nín zǎo jiù rèn chū wǒ lái la
小 猪 问："您 早 就 认 出 我 来 啦？"

dà láng xiān sheng shuō　　duì la　　nǐ lái shàng xué　wǒ yí kàn
大 狼 先 生 说："对 啦！你 来 上 学，我 一 看，

yā　　zhè bú shì nà ge xī li hū lū ma　　diāo guo nǐ yí cì　bù
呀，这 不 是 那 个 唏 哩 呼 噜 吗？叼 过 你 一 次，不

hǎo yì si rèn nǐ　　zài shuō　wǒ yě pà nǐ wèn　　dà láng xiān sheng
好 意 思 认 你。再 说，我 也 怕 你 问：'大 狼 先 生，

nǐ nà sān gè hái zi dōu hǎo ma
你 那 三 个 孩 子 都 好 吗？'……"

xiǎo zhū bù míng bai　　nà shì wèi shén me ya
小 猪 不 明 白："那 是 为 什 么 呀？"

dà láng xiān sheng shuō　　nǐ bù zhī dào ma　　yǎng hái zi yào jiǎo
大 狼 先 生 说："你 不 知 道 吗？养 孩 子 要 缴

láng tóu shuì ya　　yí gè hái zi bā qiān kuài　sān gè jiù liǎng wàn sì ya
狼 头 税 呀！一 个 孩 子 八 千 块，三 个 就 两 万 四 呀！

wǒ zhǐ hǎo jiǎ zhuāng méi hái zi
我 只 好 假 装 没 孩 子。"

duì de　　xī li hū lū de bà ba yě wèi gěi tā men jiǎo zhū tóu
对 的。唏 哩 呼 噜 的 爸 爸 也 为 给 他 们 缴 猪 头

shuì fā chóu guo
税 发 愁 过。

"这回好啦！"哇呜老师说，"我现在在一家大公司当职员，每个月挣好多钱。我租了一套公寓，把三个孩子也接来了！"

哇呜老师问小猪进了新学校没有。小猪把鳄鱼校长的事说了。哇呜老师说："没关系！等我挣够了钱，我也盖一座漂亮的学校。那时候你就来上学，我连一个铜板也不要你的！"

唏哩呼噜听了很快活。

这么一快活不要紧，他一口气又吃了9盘蛋糕、28份冰激凌。

33

xiǎo zhū hé hú li
小 猪 和 狐 狸

lì hai de bǎo xiǎn guì
厉 害 的 保 险 柜

dà láng wā wū xiān sheng de xué xiào guān le mén nà xiē gǒu zǎi
大 狼 哇 呜 先 生 的 学 校 关 了 门 ， 那 些 狗 崽

zi hóu zǎi zi hú li zǎi zi men méi shì gàn zhěng tiān dào chù yóu
子 、 猴 崽 子 、 狐 狸 崽 子 们 没 事 干 ， 整 天 到 处 游

guàng dà jiē shang yóu guàng gòu le tā men hái wǎng tóng xué jiā pǎo
逛 。 大 街 上 游 逛 够 了 ， 他 们 还 往 同 学 家 跑 。

zhè yàng zhū tài tai jiā lǎo yǒu yì bāng hái zi lái zhǎo xī li hū
这 样 ， 猪 太 太 家 老 有 一 帮 孩 子 来 找 唏 哩 呼

lū wán er tā men zuì ài
噜 玩 儿 。 他 们 最 爱

dào xī li hū lū jiā yīn
到 唏 哩 呼 噜 家 ， 因

wèi jiù shì tā men nào fān
为 ， 就 是 他 们 闹 翻

le tiān zhū mā ma yě bú
了 天 ， 猪 妈 妈 也 不

duì tā men fā pí qi dǐng
对 他 们 发 脾 气 ， 顶

多是说："你们小一点儿声，要不鸭太太会生

气的——她说噪声太大会影响她们下蛋。"

他们爱找唏哩呼噜，还因为他老实，从来

不欺负同学。

点心铺的狐狸掌柜是丁丁的爸爸。丁丁家

房子特别大，玩具特别多，可是狐狸掌柜不准

小家伙儿们去。丁丁有意见，抗议说："怎么

你让我'少逛大街，最好在同学家里玩儿'？"

狐狸掌柜对儿

子解释说："他们家

里不是没这么多钱嘛！"

丁丁继续抗议：

"你的钱都锁在保

35

险柜里！那个保险柜……"

丁丁没往下说。那个保险柜的厉害，他可知道！

他爸爸开保险柜往里放钱的时候，总是用身体挡住上面的两个亮亮的旋钮，怕他看见，知道了密码。可是丁丁老是假装在地板上玩儿得很起劲儿，偷偷地斜了细眼睛看，日子一多，他到底知道了密码。有一天丁丁在电子游戏厅把钱都输光了，他趁爸爸在前面的店铺里忙生意，溜进爸爸的房间。他还当是他知道密码，就能打开保险柜，没想到他的手刚伸到旋钮上，就有谁伸过一只手来，

"啪"地打了他一个大耳光。这个大耳光好重，把他打得趴在地板上。他叫喊求饶："我就摸摸，根本就没想拿钱……"

可是仔细看看，身边并没有爸爸。他跑到前面去看，他老爸正在那里忙着呢！

他觉得非常奇怪，又跑回去。这次他拿了一把笤帚，手里握着长柄，看能不能用笤帚顶住旋钮，转动它。不料笤帚刚刚触及旋钮，又是一记大耳光，把他打翻在地。

这回他看清了——原来是保险柜的侧面忽然伸出一只手来。好家伙，那条胳膊会伸出那么长，直打到他脸上！

这还不算，晚上爸爸把他叫去，一瞪眼说："你小子今天想拿我的钱，是不是？"

丁丁装傻

说："拿您的钱？您的钱放在哪儿啊？"

他爸爸一乐，说："小子，跟我玩儿花招，有你的！"

狐狸掌柜把丁丁领到保险柜前，按一下侧面一个按钮。那上面立刻出现一个屏幕，而且放起电视来，演的正是丁丁蹑手蹑脚走到保险柜前去摸旋钮，挨了一个大耳光，还大声叫唤："我就摸摸……"紧接着，屏幕上又出现他双手擎着笤帚，伸向保险柜。

丁丁呆住了。好家伙，还给他录了像！

bú guò tā lǎo bà zhǐ shì hā hā yí xiào   hǎo hǎo gēn nǐ lǎo
不过他老爸只是哈哈一笑："好好跟你老

bà xué ba   nǐ hái chà de yuǎn zhe ne
爸学吧，你还差得远着呢！"

xī li hū lū jiā kě méi bǎo xiǎn guì   kàn yàng zi tā men yě yòng
唏哩呼噜家可没保险柜，看样子他们也用

bù zháo nà dōng xi   xiǎo hú li dīng ding cháng chèn zhe dà huǒ er wán er
不着那东西。小狐狸丁丁常趁着大伙儿玩儿

de rè nao de shí hou   zhè lǐ mō mo   nà lǐ fān fan   tā mō qīng
得热闹的时候，这里摸摸，那里翻翻。他摸清

le   zhū bà ba nà diǎn er qián dōu fàng zài dà shuāng rén chuáng de rù
了——猪爸爸那点儿钱都放在大双人床的褥

zi dǐ xia
子底下。

dīng ding bìng méi xiǎng dòng nà xiē qián   xī li hū lū shì tā péng
丁丁并没想动那些钱。唏哩呼噜是他朋

you   duì péng you děi jiǎng
友，对朋友得讲

diǎn er yì qi   bié kàn
点儿义气。别看

tā lǎo diàn jì zhe bǎo xiǎn
他老惦记着保险

guì   kě bǎo xiǎn guì li de
柜，可保险柜里的

qián shì tā zì jǐ jiā de
钱是他自己家的。

dòng zì jǐ jiā de qián jiào
动自己家的钱叫

39

"拿"，动别人的钱可就叫"偷"了。不管怎么说，他当过几天大狼哇呜老师的学生，这个道理他懂。他想知道谁的钱放在哪儿，不过是好奇，说得严重一点儿，也顶多是他有点儿毛病。

2 电子游戏

这一天，大伙儿在唏哩呼噜家玩儿够了，各自回家。丁丁捅一下唏哩呼噜说："走，我带你去那个好地方！"

唏哩呼噜知道，那个"好地方"是电子游戏厅。他犹豫了一下，还是跟着丁丁走了。

门口写着"学生禁止入场"，门口两个打扮得很漂亮的猫小姐却好像忘了这回事，跑

上来扯住他们，喵喵地说："欢迎！欢迎！"

里面确实挤满了学生。唏哩呼噜头一回到

这地方来，东张西望："呀，真热闹！"

丁丁兴冲冲地说："不光是热闹，还有钱

赚哪！"

他领小猪到一大排花花绿绿的游戏机前，

一边认真看，一边指着说："把一块钱硬币从

这个小洞里扔进去，下面就会掉出十个来，运

气好，说不定是一百个！"

唏哩呼噜吃了一惊：会有这样的事？他也

睁大了眼看。

一只穿得很阔气的猴子，正兴致勃勃地往

小洞里投一元的硬币。他一下子就投进五个，

可是响起一声"哇呜"，正面的屏幕上出现一

41

个张着大嘴巴的老虎。小猪吓得倒退了两步，怔了一会儿说："下面什么也没出来！"

丁丁撇撇嘴说："他是个笨蛋！你瞧我的！"

丁丁挤上去，往小洞里扔了个一块钱的硬币。

机器响起一阵好听的音乐，屏幕上出现一个笑眯眯的猫姑娘。紧接着，"哗啦啦""哗啦啦"一片响，下面掉出好多一元的硬币，都滚进一个盒子里。丁丁端起盒子，哈哈笑："是一

百块！"

唏哩呼噜又惊又喜："都归你了？"

42

丁丁一边美滋
dīng ding yì biān měi zī

滋地往自己衣袋里
zī de wǎng zì jǐ yī dài li

装钱，一边说：
zhuāng qián yì biān shuō

"那当然啦！"
nà dāng rán la

唏哩呼噜连忙
xī li hū lū lián máng

从衣袋里掏出一
cóng yī dài li tāo chū yí

块钱，也要往里投。丁丁拦住他说："不，等一
kuài qián yě yào wǎng lǐ tóu dīng ding lán zhù tā shuō bù děng yì

等！"
děng

那位猴子先生可不等，他投进一块钱去。
nà wèi hóu zi xiān sheng kě bù děng tā tóu jìn yí kuài qián qù

大老虎又出来了，又"哇呜"一声叫，还是一块
dà lǎo hǔ yòu chū lái le yòu wā wū yì shēng jiào hái shi yí kuài

钱也没掉出来。
qián yě méi diào chū lái

小猪都吓得出汗了。他抹了一把脑门儿
xiǎo zhū dōu xià de chū hàn le tā mǒ le yì bǎ nǎo mén er

说："亏得你拦住我，要不，我的钱就没啦！"
shuō kuī de nǐ lán zhù wǒ yào bù wǒ de qián jiù méi la

小狐狸扬扬得意："听我的没错儿！"
xiǎo hú li yáng yáng dé yì tīng wǒ de méi cuò er

tā yòu bǎ xiǎo zhū lā dào yì páng, qiāo qiāo gào su tā yí gè mì
他 又 把 小 猪 拉 到 一 旁，悄 悄 告 诉 他 一 个 秘

mì： měi tái jǐ qì dōu shì tā men shì xiān ān pái hǎo de chī xià wǔ
密："每 台 机 器 都 是 他 们 事 先 安 排 好 的，吃 下 五

qiān kuài tǔ chū yì qiān kuài hái yǐ wéi wǒ bù zhī dào wǒ gāng cái
千 块，吐 出 一 千 块，还 以 为 我 不 知 道！我 刚 才

duǒ zài hòu tou kàn zhè tái jǐ qì yǐ jīng tūn xià hǎo duō qián le yí
躲 在 后 头 看，这 台 机 器 已 经 吞 下 好 多 钱 了，一

kuài yě méi tǔ chū lái wǒ zhè cái rēng jìn yí kuài qián qù zěn me yàng
块 也 没 吐 出 来，我 这 才 扔 进 一 块 钱 去！怎 么 样？"

tā shǐ jìn pāi pai zì jǐ gǔ gu nāng nāng de yī dài
他 使 劲 拍 拍 自 己 鼓 鼓 囊 囊 的 衣 袋。

tā men yòu duǒ zài hòu tou kàn le yí huì er dīng ding bǎ xī li
他 们 又 躲 在 后 头 看 了 一 会 儿，丁 丁 把 唏 哩

hū lū lǐng dào yì tái jǐ qì qián tou shuō rēng jìn qù
呼 噜 领 到 一 台 机 器 前 头 说："扔 进 去！"

xī li hū lū bǎ zì
唏 哩 呼 噜 把 自

jǐ de yí kuài qián cóng xiǎo kǒng
己 的 一 块 钱 从 小 孔

li rēng le jìn qù
里 扔 了 进 去。

xiǎng qǐ yí zhèn hǎo tīng
响 起 一 阵 好 听

de yīn yuè shēng xià bian huā
的 音 乐 声，下 边 "哗

lā lā yí zhèn xiǎng diào
啦 啦 "一 阵 响，掉

44

chū shí kuài guāng shǎn shǎn de yìng bì lái
出十块光闪闪的硬币来！

xiǎo hú li hā hā xiào   yì pāi xiǎo zhū de nǎo dai   shuō
小狐狸哈哈笑，一拍小猪的脑袋，说：

lèng zhe gàn má ya   shì nǐ de qián   kuài ná zhe
"愣着干吗呀？是你的钱，快拿着！"

xiǎo zhū duān qǐ xiǎo hé zi   shǒu zhí duō suo   tā bà ba yí gè
小猪端起小盒子，手直哆嗦。他爸爸一个

yuè jiù gěi tā yí kuài líng huā qián   tā kě cóng lái méi yǒu guo zhè me duō
月就给他一块零花钱，他可从来没有过这么多

qián   ā   tā fā cái le
钱！啊，他发财了！

dīng ding gēn xī li hū lū jiǎng guo hǎo jǐ huí diàn zǐ yóu xì tīng de
丁丁跟唏哩呼噜讲过好几回电子游戏厅的

shì   ràng tā yì qǐ lái wán er   kě shì bà ba mā ma zhǔ fù guo tā
事，让他一起来玩儿。可是爸爸妈妈嘱咐过他，

bù xǔ tā lái   xī li hū
不许他来，唏哩呼

lū hái shi tīng le bà ba mā
噜还是听了爸爸妈

ma de huà   jīn tiān tā
妈的话。今天他

běn lái xiǎng jìn lái kàn yí
本来想进来看一

kàn jiù zǒu de   kě shì xiàn
看就走的，可是现

zài   xiǎo zhū yì diǎn er dōu
在，小猪一点儿都

45

bù xiǎng zǒu le tā yī dài li de shí kuài qián dīng dāng zhí xiǎng
不想走了。他衣袋里的十块钱“叮当”直响，

ràng tā jué de xiàng shì zài zuò mèng kě zhè bú shì zuò mèng dīng ding yíng
让他觉得像是在做梦，可这不是做梦！丁丁赢

le yì bǎi kuài yě shì tā qīn yǎn kàn dào de diū jìn yí kuài chū
了一百块，也是他亲眼看到的，丢进一块，出

lái yì bǎi wā
来一百，哇！

tā yě xiǎng dé dào yì bǎi kuài yào shi tā gěi mā ma ná huí yì
他也想得到一百块。要是他给妈妈拿回一

bǎi kuài mā ma yí dìng huì gēn hào zi yǎo le tā de ěr duo yí yàng
百块，妈妈一定会跟耗子咬了她的耳朵一样，

wā wā jiào zhe tiào qǐ lái
“哇哇”叫着跳起来！

tā jiù mào zhe dà hàn gēn xiǎo hú li yì qǐ wán er qǐ lái
他就冒着大汗，跟小狐狸一起玩儿起来。

xiǎo zhū bú pà fèi shí
小猪不怕费时

jiān xiǎo xīn de zhàn zài nà lǐ
间，小心地站在那里

děng jī huì tā kàn dào yì tái
等机会。他看到一台

jī qì lǎo shì bǎ qián tūn jìn qù
机器老是把钱吞进去

bù kěn tǔ chū lái jué de jī
不肯吐出来，觉得机

huì chà bu duō le jiù bǎ qián
会差不多了，就把钱

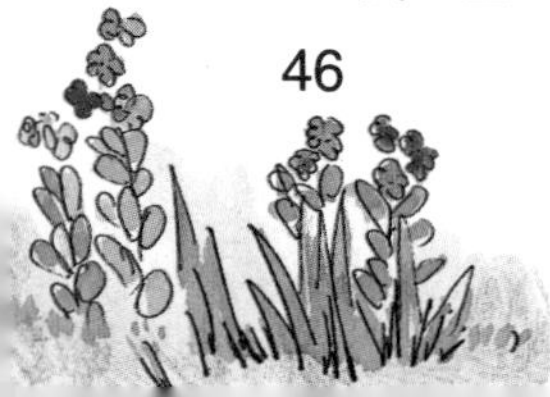

tóu jìn yí kuài qù　　　kě shì dà lǎo hǔ lù chū liǎn lái　xiàng tā　　wā
投 进 一 块 去 。 可 是 大 老 虎 露 出 脸 来 ， 向 他 " 哇

wū　　yì shēng jiào　　tā de　yí kuài qián wú yǐng wú zōng le　　　kàn yàng zi
呜 " 一 声 叫 ， 他 的 一 块 钱 无 影 无 踪 了 。 看 样 子 ，

xiǎo hú li de zhāo shù yě bú dà líng
小 狐 狸 的 招 数 也 不 大 灵 ！

　　xiǎo hú li yào bǐ xiǎo zhū kuài de duō　　dào xiǎo zhū de yī dài li
　　小 狐 狸 要 比 小 猪 快 得 多 。 到 小 猪 的 衣 袋 里

zhǐ shèng xià　yí kuài qián de shí hou　　xiǎo hú li zhǐ shì zhàn zài　yì páng fā
只 剩 下 一 块 钱 的 时 候 ， 小 狐 狸 只 是 站 在 一 旁 发

dāi　　　　　tā lián　yí kuài qián yě méi yǒu le
呆 —— 他 连 一 块 钱 也 没 有 了 ！

　　xiǎo hú li liǎng yǎn tōng hóng　　bǎ shǒu shēn jìn xiǎo zhū de yī dài li
　　小 狐 狸 两 眼 通 红 ， 把 手 伸 进 小 猪 的 衣 袋 里 ：

jiè gěi wǒ　　děng huì er wǒ huán nǐ liǎng kuài
" 借 给 我 ， 等 会 儿 我 还 你 两 块 ！ "

　　bié kàn jiù zhè　yí kuài qián　shuō bu dìng　　hū rán yí xià zi yòu biàn
　　别 看 就 这 一 块 钱 ， 说 不 定 ， 忽 然 一 下 子 又 变

chéng yì bǎi kuài
成 一 百 块 ！

kě shì　　tā lián yí
可 是 ， 他 连 一

kuài qián yě méi lāo dào
块 钱 也 没 捞 到 。

xiǎo hú li hěn bù gān
小 狐 狸 很 不 甘

xīn　tā shǐ jìn er cuō zhe
心 ， 他 使 劲 儿 搓 着

shǒu　duì xiǎo zhū shuō　　nǐ huí qù ná yì diǎn er qián lái　　nǐ jiā jìn
手，对小猪说："你回去拿一点儿钱来，你家近！"

　　dào yě bú shì　yuǎn　　jìn　de wèn tí　xiǎo hú li zhī dào
　　倒也不是"远""近"的问题，小狐狸知道

bà ba de qián tā lián yì fēn yě ná bú dào
爸爸的钱他连一分也拿不到。

　　xiǎo zhū yǒu xiē wéi nán　　wǒ bù zhī dào wǒ men jiā de qián fàng
　　小猪有些为难："我不知道我们家的钱放

zài nǎ er
在哪儿……"

　　xiǎo hú li yě gù bú shàng xǔ duō le　　zài dà chuáng de rù zi
　　小狐狸也顾不上许多了："在大床的褥子

dǐ xia　　nǐ děi cóng chuáng shang pá guò qù　zài zuì lǐ bian de nà ge
底下！你得从床上爬过去，在最里边的那个

jiǎo shang
角上！"

　　xiǎo zhū cóng lái méi gàn guo zhè zhǒng shì　　kě shì　xiàn zài tā hé
　　小猪从来没干过这种事。可是，现在他和

xiǎo hú li yí yàng　xīn lǐ zhǐ shèng xià　yí kuài qián shuō bu dìng yí xià
小狐狸一样，心里只剩下"一块钱说不定一下

zi jiù biàn chéng yì bǎi kuài　de
子就变成一百块"的

niàn tou　　tā háo bù yóu yù　jí
念头，他毫不犹豫，急

jí máng máng pǎo huí qù　bǎ rù
急忙忙跑回去，把褥

zi dǐ xia de qián dōu zhuāng jìn
子底下的钱都装进

48

衣袋里。

可惜，那些钱
没有一个变成一百
块的。倒是刚才的
两个大财主一下子
都变成了穷光蛋。

出了电子游戏厅的门，小狐狸向两位漂亮
的猫小姐做了个威胁的手势，凶巴巴地叫："我
要狠狠揍你们一顿！"

两位猫小姐只是笑眯眯地朝他们一鞠躬：
"欢迎下回再来！"

其实小狐狸早就心平气和，眼睛不红了，
也不再冒汗。他对小猪说："去我家玩儿吧！"

小猪心里还想着："唉，要是我赢了十块钱

49

就走多么好，那样，我还是个大富翁！"小狐狸又问他一次："到我家去玩儿好不好？"他摇摇头说："你爸不让！"

他想，还玩儿呢！褥子底下光秃秃的，爸爸回来可怎么办？

丁丁说："我爸今天出去谈生意，还请人家吃晚饭，夜里才回来呢！我的好玩具多得很，让你玩儿个够！"

唏哩呼噜满腹心事地随着丁丁到了狐狸掌柜家。

3 在小狐狸家

丁丁没想到，他爸爸不但把店铺关得严严

的，连宅院也挂上大锁！丁丁气得直跳脚："真

不像话！我连自己的屋子也进不去！"

唏哩呼噜一指说："那儿贴着一张条子！"

他们走近了看，上面写着：

丁丁：你到唏哩呼噜家去玩儿吧，他老实，

不会欺负你。晚饭就在他家吃。要是你乖，我

回来给你十块钱！

唏哩呼噜这时候表

现出他有多么"老实"。

他抬头看看高墙头说：

"从那儿爬进去！来，我

顶着你！"

52

xiǎo hú li cǎi zhe xiǎo zhū
小狐狸踩着小猪

de jiān bǎng yòu dēng le yí xià
的肩膀，又蹬了一下

tā nǎo dai hěn líng qiǎo de fān
他脑袋，很灵巧地翻

qiáng jìn qù le tā hěn kuài jiù
墙进去了。他很快就

diū chū yì gēn shéng zi bǎ xiǎo
丢出一根绳子，把小

zhū yě lā le jìn qù
猪也拉了进去。

yào jìn fáng zi jiù kùn nan duō le liǎng céng jiē jie shí shí de fáng
要进房子就困难多了。两层结结实实的防

dào mén dōu jǐn suǒ zhe chuāng hu shang yǒu hěn cū de tiě lán gān xiǎo zhū
盗门都紧锁着，窗户上有很粗的铁栏杆。小猪

ān wèi tā de péng you shuō bié zháo jí méi shì er
安慰他的朋友说："别着急，没事儿！"

tā ràng xiǎo hú li bāng máng hé lì xiān kāi yuàn zi li yí kuài shuǐ
他让小狐狸帮忙，合力掀开院子里一块水

ní bǎn dīng ding tàn tóu kàn kan lǐ tou hēi gu lōng dōng de hái yǒu
泥板。丁丁探头看看，里头黑咕隆咚的，还有

yì gǔ chòu hōng hōng de wèi er mào chū lái dīng ding niē zhù bí zi shuō
一股臭烘烘的味儿冒出来。丁丁捏住鼻子说：

duō hēi zài shuō nà me chòu
"多黑！再说那么臭……"

xī li hū lū mǎn bú zài hu de shuō jìn qù le zài xǐ ma
唏哩呼噜满不在乎地说："进去了再洗嘛！

又 没 让 你 钻 ， 我 进 去 ， 给 你 打 开 防 盗 门 。 ”

小 猪 脱 下 衣 服 、 裤 子 ， 交 给 小 狐 狸 ， 说 ： “ 到 防 盗 门 那 儿 去 等 着 吧 ！ ”

小 狐 狸 等 了 不 大 工 夫 ， 两 道 防 盗 门 就 打 开 了 。 可 就 是 小 猪 一 身 黑 泥 巴 ， 还 冒 着 臭 气 ， 小 狐 狸 拼 命 叫 ： “ 快 去 洗 ！ 快 去 洗 ！ 臭 死 啦 ！ ”

小 猪 洗 得 干 干 净 净 ， 穿 上 衣 裳 ， 拖 干 净 厨 房 的 地 板 —— 他 就 是 从 那 儿 钻 进 来 的 。 小 狐 狸 第 一 次 佩 服 他 的 这 位 朋 友 ： 多 大 的 本 事 ！ 要 是 他 自 己 ， 费 多 少 心 思 也 甭 想 进 来 。 这 回 ， 他 的 房 间 又 属 于 他 啦 ！

他 打 开 冰 箱 ， 拿 出 好 多 好 吃 的 东 西 招 待 他 的 朋 友 ， 还 把 他 的 高 级 玩 具 都 搬 来 。

两 个 家 伙 足 足 闹 了 一 大 通 。

玩腻了，丁丁又把唏哩呼噜领到他爸爸房间。唏哩呼噜没见过保险柜，歪着脑袋看。小狐狸一下子生出恶作剧的念头，心想：挨一个耳光也没什么了不起的嘛！他就说："那里头有钱。可就是打不开！要是你能打开，我马上就能还给你钱！"

小猪使劲儿摇头："那样子不好！"

小狐狸说："那有什么不好？保险柜是我家

的，是我让你帮我

开的！"

小猪说："是你

爸的。要是你爸锁

起来，那就是说，不

让你开。"

小狐狸说："错啦！那是怕小偷儿打开。我爸对我说：'丁丁，我锁保险柜，是怕小偷儿开。你可以随便开。好，我现在就告诉你密码！'他就把密码告诉我了。——你瞧，是不是让我随便开？"

小猪不明白："'密码'是什么玩意儿啊？"

"就是说，你自己设定一个号码，好比说：3858。就你自己知道，别人谁都不告诉。你先转那个旋钮，转完3、8、5、8，你再拉保险柜的门，门一拉就开了。可是别人不知道这个号码，怎么拉也拉不开！"

小猪觉得很有意思。他问："你爸不是告诉你那个密……那个'密码'了吗？为什么你还打不开？"

哎哟，干吗要说"打不开"呀！小狐狸眼睛一转说："其实我打得开。我那么说，是怕你知道我的密码。"

小猪说："你开吧，我蒙住眼睛！"

"我怕你偷看。"

"那我到那个屋子里去！"

小狐狸只好又想主意。唏哩呼噜最爱帮人家的忙，要是他这样说……

于是小狐狸就说："其实也不是怕你知道我们的密码，你是我的好朋友，还特别老实，要是我告诉你不要对别人说，你一定不会说。我打不开，是因为那个旋钮我拧不动，大概是好多日子没拧，有点儿锈了……"

反正他怎么着也得让小猪出个大洋相，让

自己哈哈大笑一通，开开心。

果然，小猪说："我比你劲儿大，我试试！——是哪一个？"

小狐狸指指说："就是左边的那个！"

小猪走上去拧那个亮亮的旋钮，小狐狸吓得"噌"地跳到远处——他怕那个大耳光也波及他。

小猪拧了一下，说："挺滑溜的呀，没锈！"

小狐狸呆住了。这个保险柜一点儿动静也没有，更不要说打小猪耳光！

这是怎么回事？坏了？

他真想上去对密码，立刻打开保险柜。可是他忽然觉得他的脸火辣辣地疼，那回的两个大耳光好厉害，他绝对忘不了！

58

"那好吧！"他还是站在远处，对小猪说，"现在我念密码，我念几，你就把旋钮上的红箭头对准几！你先转左边的那个！"

"两个都得转？"

"对啦，是双密码的！"

小狐狸接着就念起来。他念"5"，小猪就拧到"5"；他念"7"，小猪就拧到"7"。等到两个旋钮都对完，还没等小狐狸去拉呢，保险柜的门"当"一声响，自己就开了！

哇，里边那么多的钱！

小狐狸跑过来，发疯似的捧起那些光闪闪的钱又扔下去，弄得"哗啦啦""哗啦啦"响个不停。小猪傻呆呆地在一旁看着。他从来没见过这么多钱！

接着，小狐狸数出一些放在地板上，对小猪说："这是你爸爸裤子底下的37块钱！你赶紧给他放回去，要不他肯定会揍你一顿！"

看见小猪还在发呆，他就一把一把抓起来，往他衣袋里塞。塞完了，他又拿起两块钱说："这是我跟你借时，说好了借一块还两块！"

小猪替他的朋友担忧："这么干，你爸不揍你？"

小狐狸说："没事儿！你瞧瞧，看出来这钱少了吗？不动钞票就行，我爸爸的硬币根本就没数儿！"

说着，他又一把

一把往自己的衣袋

里揣，还说："真怪，

怎么我一摸就……"

他一高兴，就把

保险柜扇他大耳光

的事说了。小猪叫起来："原来你说'锈'了，是想让它扇我耳光？"

小狐狸哈哈笑："没错儿！可是不知道为什么我爸会出这种错儿！他离开这屋子前的最后一件事就是检查保险柜，看能不能扇人家大耳光！"

小猪不明白："那他自己开呢？"

小狐狸一指说："看见墙上锁着的那个铁箱子了吧？他要打开保险柜，先打开铁箱子，

61

切断电源！我爸可聪明啦，他把电线都埋在地底下，谁也找不到，别想切断电源！"

小猪忽然明白了什么，他说："呀，大概是我'切断电源'啦！我钻地道的时候，有一根绳子缠到我腿上，那里头特别黑，也看不清，我使劲儿一扯，绳子就断了……"

小狐狸跳起来喊："糟啦，那是电线！我爸爸这回肯定会发现我开了他的保险柜！咱们一定要把电线接好！"

4 结果

这个结果不太好。

因为，两个小家伙一抬头，正看见狐狸掌

guì yì shēng bù xiǎng de zhàn zài mén páng
柜 一 声 不 响 地 站 在 门 旁，

xiōng bā bā de dīng zhe tā men
凶 巴 巴 地 盯 着 他 们 。

wǒ bú tài rěn xīn bǎ xià miàn
我 不 太 忍 心 把 下 面

fā shēng de shì gào su nǐ men
发 生 的 事 告 诉 你 们 。

xī li hū lū dāng dà xiá
唏哩呼噜当大侠

lù jiàn bù píng   xiǎo zhū dāng pí qiú
路见不平 小猪当皮球

jí shì hǎo rè nao
集市好热闹！

xīng xing lǎo èr zhèng zài jí shì shang mài xiāng jiāo   tā dà shēng yāo he
猩猩老二正在集市上卖香蕉。他大声吆喝

zhe
着：

wèi   lái mǎi dà
喂 —— 来买大

xiāng jiāo
香蕉！

xiāng jiāo hǎo bù hǎo
香蕉好不好？

yí kàn jiù zhī dào
一看就知道！

yào wèn tián bù tián   cháng chang bú yào qián
要问甜不甜，尝尝不要钱！

64

shān yáng lǎo hàn xiǎng mǎi xiāng jiāo　　tā shēn guò bí zi qù wén wen
山羊老汉想买香蕉，他伸过鼻子去闻闻，

shuō　　zhēn xiāng　　duō shao qián yì jīn
说：“真香！多少钱一斤？”

xīng xing lǎo èr huí dá shuō　　yì bǎi kuài
猩猩老二回答说：“一百块。”

shān yáng lǎo hàn xià yí tiào　　yōu　　zhè me guì
山羊老汉吓一跳：“哟，这么贵！”

xīng xing lǎo èr shuō　　nǎ er de huà　　dōng xi gēn dōng xi bù
猩猩老二说：“哪儿的话！东西跟东西不

yí yàng　　wǒ gē shì shuǐ guǒ pī fā zhàn de jīng lǐ　　nǐ qiáo qiao　　shéi
一样。我哥是水果批发站的经理，你瞧瞧，谁

yǒu wǒ zhè me bàng de xiāng jiāo
有我这么棒的香蕉？”

shān yáng lǎo hàn zhuǎn shēn zǒu kāi　　zuǐ li shuō　　zài jiàn
山羊老汉转身走开，嘴里说：“再见！”

xīng xing lǎo èr dà hè
猩猩老二大喝

yì shēng　　zhàn zhù　　nǐ hái
一声：“站住，你还

méi gěi qián na
没给钱哪！”

shān yáng lǎo hàn yòu xià
山羊老汉又吓

le yí tiào　　wǒ méi mǎi ya
了一跳：“我没买呀！”

65

猩猩老二说："你闻了没有？把我香蕉的味

儿闻走了，不给钱还行？"

山羊老汉说："你讲了'尝尝不要钱'的。

连尝都不要钱……"

猩猩老二说："对呀！可是我讲了'闻闻不

要钱'没有？没讲吧？"

他确实没讲"闻闻不要钱"，山羊老汉叹了

一口气，一边伸手去摸衣袋，一边问："闻闻要

多少钱？"

猩猩老二伸出

两个指头："两百块！"

山羊老汉怀疑

自己的耳朵出了问

题："什么？你说一

斤一百块，两百块钱能买两斤香蕉啦！"

猩猩老二说："没错儿！可是你闻的那堆

香蕉是五十多斤！"

山羊老汉叫起来："你讲不讲理呀？"

猩猩老二说："不讲理。你给不给钱？"

山羊老汉说："不给！"

猩猩老二照着山羊老汉，兜头就是一拳。

山羊老汉给打了个仰面朝天，爬不起来。

小猪唏哩呼噜到集市去，正好赶上山羊老

汉弯下腰去闻香

味儿。一见猩猩

老二动手打人，

他急忙跑上去说：

"不可以动手打人

67

de
的！"

xīng xing lǎo èr dǎ
猩猩老二打

liang le xiǎo zhū yì yǎn
量了小猪一眼，

xiào le yō chū lái
笑了："哟，出来

gè dà xiá bù kě yǐ
个大侠！不可以

dòngshǒu nà jiù dòng jiǎo ba shuō zhe tā jiù gěi le xiǎo zhū yì jiǎo
动手，那就动脚吧！"说着，他就给了小猪一脚。

zhè yì jiǎo bǎ xiǎo zhū tī chū qù hǎo yuǎn xiǎo zhū yì zhí zhuàng
这一脚把小猪踢出去好远。小猪一直撞

dào zhèng wéi zài nà lǐ qiáo rè nao de lǘ zhǎng guì shēn shang lǘ zhǎng guì
到正围在那里瞧热闹的驴掌柜身上。驴掌柜

hěn shēng qì gěi le xiǎo zhū yì tí zi xiǎo zhū pá qǐ lái gāo xìng
很生气，给了小猪一蹄子。小猪爬起来，高兴

de shuō zhēn bàng nǐ bǐ tā jìn er dà nǐ qù guǎn guan tā zǒng
地说："真棒，你比他劲儿大！你去管管他，总

bù néng ràng tā suí biàn qī fu lǎo tóu er
不能让他随便欺负老头儿！"

lǘ zhǎng guì shuō tā yòu méi wèn wǒ yào qián wǒ guǎn nà xián
驴掌柜说："他又没问我要钱，我管那闲

shì gàn má wǒ tī nǐ shì yīn wèi nǐ zhuàng téng le wǒ
事干吗？我踢你，是因为你撞疼了我。"

xiǎo zhū shuō duì bu qǐ wǒ bú shì gù yì de
小猪说："对不起，我不是故意的……"

他扭头看，猩猩老二正在很卖力气地踢山羊老汉，嘴里还说："猪大侠不让我动手，我动脚好了。给钱！给钱！给钱！"

他说一声"给钱"，就踢一脚。一大群看热闹的，谁也不管，只顾兴致勃勃地看。

小猪又冲上去，喊叫说："动脚也不对！"

猩猩老二说："猪大侠的意思，还是动手好？怎么又变了主意呀！好吧，再听你一回，我还是使拳头……"

小猪见他转身又奔向山羊老汉，急坏了，尖声吓唬他说："你再欺负人，我就去叫——"

他想说"叫我师父"，可是一想，挨打了叫师父很不光彩，就改成："我去叫我徒弟来收拾你！"

69

猩猩老二又呵呵笑着走回来："去叫你姥姥吧！"

说着，他猛一抬脚，把小猪踢得飞起来。

小猪怕把脑袋撞坏，连忙跟个刺猬似的，把身体缩成一个球球儿。他飞进一家院子，先撞到瓜架上，把顶上结的一个大冬瓜撞掉，接着又飞向窗户，"哗啦啦"一片响，撞碎玻璃，飞进屋子。

这是老棕熊的家。老棕熊先生正坐在院子里，一边喝茶，一边欣赏他的大冬瓜。

架上这个大冬瓜，是他的骄傲，是他的希

70

望。再有一个月，就是镇上的"冬瓜大赛"，今年获头奖的，会得到一辆"飞天"牌高级摩托车。

最近几天，老棕熊悄悄到各家去窥探，发现谁家的冬瓜也不如他的这个冬瓜大。他喝一口茶，就笑呵呵地朝他的冬瓜点点头："啊，我的心肝宝贝！我日日夜夜伺候你，你也没有辜负我！"

他怎么也没想到，就在他美滋滋地冲着他的"高级摩托车"笑的时候，一个大皮球忽然飞进来，撞在他的瓜架上。随着"哗啦"一声响，大冬瓜直坠下来，"噗"的一声，变成大大小小

许多碎块和一汪水。

老棕熊先生

"哇"一声大叫，接着就向院子外头冲去。两扇关着的大门被他撞碎了，木屑乱飞。

他东张西望，看见猩猩老二正揪着山羊老汉乱打，嘴里还在喊：

"再不给钱，我就像踢足球一样，也把你踢飞。那可就不是飞进谁的院子，是让你掉进大粪池子里淹死！"

老棕熊先生

火冒三丈，他直奔

上去，吼叫道：

"原来是你这小子

干的！"他一巴掌

就把猩猩老二打翻在地。猩猩老二什么时候

碰到过这种事？他跳起来，狠狠还了他一脚。

没想到，这一脚好像踢在大树干上。老棕熊纹

丝没动，眨巴眨巴眼，又给了他一巴掌。

这一巴掌打重了。猩猩老二"扑通"一声

躺下，一时挣扎不起来。老棕熊怒气未息，坐

在他身上，左一拳右一拳只顾打，嘴里还念

叨："让你踢足球！让你踢足球！"

小猪唏哩呼噜飞进屋子，在地上弹了一下，

直滚进床底下。他爬出来，朝四周看看，说：

"哇，好像是谁家的屋子！这可不太好……"

虽说这次也"不是故意的"，到底还属擅

闯民宅。

他急忙跑到外边，看见院子里扔着一摊碎

冬瓜，闻到一股清香诱人的味儿。

小猪自言自语："明摆着是主人家不要了，

扔在这儿的。就这么扔了太可惜，不如'唏哩呼

噜''唏哩呼噜'把

它吃下去！"

小猪又想想，

觉得有些不妥。

"猩猩先生说我是

猪大侠。这可不是

74

大侠应该做的！"

他惦记着山羊老汉，急忙跑回去。只见人群围得水泄不通，又听得圈子里头"乒乒乓乓"乱响，显然还在那里打。有些看热闹的大声喝彩：

"打得好！"

"使劲儿揍！"

山羊老伯那么瘦，怎么禁得起这般打？小猪急了，一边拼死命往圈子里挤，一边尖着嗓子叫："不能再打啦！再打就出人命啦！"

有人呐喊助威，棕熊先生打得更起劲儿了。听见有谁尖声喊出不同意见，他不由得仔细看看猩猩老二，只见那家伙直翻白眼儿，已经是有出气儿没进气儿了。他心想："那叫喊

75

的小崽子说得也是，果真打死，免不了一场麻烦！"

老棕熊站起来，拍拍身上的土，分开人群，扬长而去。

小猪挤进去，一时怔住了：躺在地上哼哼的，怎么竟是猩猩老二？

从这以后，猩猩老二每回见着小猪唏哩呼噜，总是满脸堆笑、点头哈腰地说："哟，是猪大侠！您吃了吗？今儿个天气真不错！"

有一回，他还拱着手说："我是有眼不识泰山！那天多亏猪大侠拦住了高徒，不然我就完蛋啦！您的徒弟不但力大无穷，拳脚也十分了

dé …… 'míng shī chū gāo tú', zhè huà zhēn shì yì diǎn er dōu bù
得 …… '名 师 出 高 徒'，这 话 真 是 一 点 儿 都 不
jiǎ
假 ！"

 jī zhái zhuō guǐ   dà xiá rě má fan
2 鸡宅捉鬼 大侠惹麻烦

dà xiá xī li hū lū chū le míng
大 侠 唏 哩 呼 噜 出 了 名。

rén pà chū míng zhū pà zhuàng   jī tài tai zhè yì tiān hū rán zhǎo
人 怕 出 名 猪 怕 壮，鸡 太 太 这 一 天 忽 然 找

shàng mén lái   mǎn liǎn kǒng jù   shén mì xī xī de duì xī li hū lū
上 门 来，满 脸 恐 惧，神 秘 兮 兮 地 对 唏 哩 呼 噜

shuō   tā jiā li nào guǐ   zhū dà xiá wú lùn rú hé yào qù bāng gè máng
说，她 家 里 闹 鬼，猪 大 侠 无 论 如 何 要 去 帮 个 忙。

hái méi bān qù de shí
"还 没 搬 去 的 时

hou   wǒ jiù tīng shuō nà ge zhái
候，我 就 听 说 那 个 宅

zi bù gān jìng   jī tài tai
子 不 干 净，"鸡 太 太

shuō   yè lǐ cháng yǒu guǐ zǒu
说，"夜 里 常 有 鬼 走

dòng   piān piān wǒ xiān sheng bù
动。偏 偏 我 先 生 不

听，还嘻嘻哈哈，说我神经病。这下子倒好，他先吓得搬到旅馆去住了！"

小猪好半天没说出话来。他是在想，大侠该不该管鬼的事情。最后，他犹犹豫豫地说："那个……那个鬼是什么样子的？"

鸡太太说："也没个准模样儿。有时候好大，脑袋高到棚顶；有时候好像又很小。有时候是个黑影子，有时候连影子都没有，就是一阵阴森森的风。唉，要是瞧得见，也许就不那么吓人了。可是什么都没有，忽然就冲着你的脖颈儿吹一口凉气……"

小猪怔了一会

er wèn jī tài tai nà ge nà ge tā chū lái gàn shén me
儿，问鸡太太：“那个……那个……他出来干什么？”

nǐ shuō guǐ ya dào yě méi gàn shén me jiù shì tài shèn rén la
“你说鬼呀？倒也没干什么，就是太瘆人啦！”

xiǎo zhū shuō hài tā yòu méi yǎo nǐ men yòu méi zòu nǐ men
小猪说：“嗐！他又没咬你们，又没揍你们，
nǐ men bié lǐ tā jiù suàn le ma yā xiǎng qǐ lái la wǒ
你们别理他就算了嘛！——呀，想起来啦！我
mā ràng wǒ qù mǎi jiàng yóu wǒ dān wu tā zuò fàn tā zhǔn děi mà wǒ
妈让我去买酱油，我耽误她做饭，她准得骂我！
jī tài tai zài jiàn
鸡太太，再见！”

jī tài tai yì bǎ chě zhù tā duì le tā huò hai rén tōu
鸡太太一把扯住他：“对了，他祸害人！偷
wǒ men de jī dàn
我们的鸡蛋！”

xiǎo zhū shuō ō nà zhǔn shì hào zi wǒ men jiā yuán xiān yě
小猪说：“噢，那准是耗子！我们家原先也
nào hào zi bǎ wǒ de pí qiú dōu tuō jìn dòng li qù le hái dàng nà
闹耗子，把我的皮球都拖进洞里去了，还当那
shì jī dàn ne
是鸡蛋呢！”

jī tài tai shuō bú duì wǒ men jiā yǐ jīng méi hào zi le
鸡太太说：“不对，我们家已经没耗子了！
zài shuō hào zi tōu jī dàn shì wèi le chī nà guǐ jiù wèi xià hu rén
再说，耗子偷鸡蛋是为了吃。那鬼就为吓唬人，
pā pā pā bǎ jī dàn rēng zài dì bǎn shang shuāi suì dàn ké
‘啪，啪，啪！’把鸡蛋扔在地板上摔碎，蛋壳

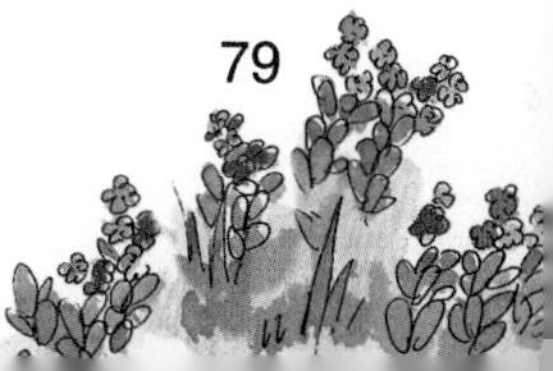

ke jiù rēng zài nà er
壳就扔在那儿！"

zhè què shí bú xiàng
这确实不像

hào zi bú guò
耗子，不过——

xiǎo zhū shuō āi
小猪说："哎

yā zá jī dàn yǒu shén me hǎo pà de yòu bú shì zá nǎo dai
呀，砸鸡蛋有什么好怕的？又不是砸脑袋！"

jī tài tai kàn le xiǎo zhū yì yǎn xiǎo xīn de shuō shì bú shì
鸡太太看了小猪一眼，小心地说："是不是

shì bú shì dà xiá gēn wǒ men pǔ tōng lǎo bǎi xìng yí yàng yě pà guǐ
……是不是大侠跟我们普通老百姓一样，也怕鬼？"

dà xiá kě bù néng gēn pǔ tōng lǎo bǎi xìng yí yàng zhū dà xiá shuō
大侠可不能跟普通老百姓一样！猪大侠说：

nǎ er de huà zǒu nín dài wǒ qiáo qiao qù
"哪儿的话！走，您带我瞧瞧去！"

jī tài tai shuō dà bái tiān de nǎ er zhǎo guǐ qù ya guǐ
鸡太太说："大白天的，哪儿找鬼去呀？鬼

dào bàn yè sān gēng cái chū lái ne zhū dà xiá yè lǐ zài lái ba nín
到半夜三更才出来呢！猪大侠夜里再来吧，您

zhè huì er bú shì jí zhe mǎi jiàng yóu qù ma
这会儿不是急着买酱油去吗？"

xiǎo zhū shuō nà me wǎn hái shàng qù dǎ rǎo bù hǎo yì si
小猪说："那么晚还上去打扰，不好意思！"

jī tài tai shuō zhè ge nín fàng xīn wǒ yě lǐng zhe hái zi men
鸡太太说："这个您放心！我也领着孩子们

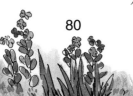

住进旅馆了——没听说'嫁鸡随鸡'吗？您谁
也不会打扰的！"

小猪忍不住叫出来："就我一个呀？"

鸡太太问："大侠还担心什么？"

小猪说："没……没什么。我是说，主人都
不在家，就我一个人不太合适。"

鸡太太说："哟，瞧您说的！别人信不过，
猪大侠我还信不过呀？还有件事忘了告诉您：
鬼这种东西不喜欢亮光，您得关上灯，他才
出来呢，开着灯，您可抓不住他。您不怕黑吧？"

小猪说："不……不怕。"

鸡太太笑着拍拍他的肩膀："我就说嘛！
要是连灯都不敢关，那还算什么大侠？"

鸡太太把院门和房门的钥匙都交给了猪大

81

侠，说了一句"等您的好消息"就走了。

"大侠就是要扶危济困、热心助人嘛！"

小猪这么一想，立刻勇气百倍。

刚吃过晚饭，小猪就提着一根木棒，到鸡家去了。——我们要在这里替小猪说句话：他可不是因为害怕，用木棒给自己壮胆儿。侠客们出门，都要随身带着兵刃的，有的是刀，有的是剑。咱们这位大侠是使棍的。

唏哩呼噜到了鸡宅，先把屋子检查一番，还敲了敲墙壁和地板，墙壁和地板都发出"哐哐哐"的声音，这让大侠多

82

少有点儿不自在。

接下来，他对自己

说："我忘了先敲敲

我们家的墙和地板

了，要是敲敲，一定

也是'哐哐哐'的！"

这么一说，小猪的心立刻踏实了。

他在屋子里闹腾了一阵子，闹累了，就搬

了一把小椅子靠墙坐下，把灯关掉。

屋子一黑，小猪又不自在起来。

他走黑路有个好办法，就是编个歌儿唱，

他就唱起来：

大鬼是个屁，

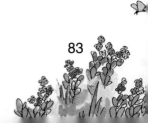

pì shì yì gǔ qì
屁 是 一 股 气 。

biān chū zhè liǎng jù　xiǎo zhū zì jǐ xiào qǐ lái　tā yòu jiē zhe
编 出 这 两 句 ， 小 猪 自 己 笑 起 来 。 他 又 接 着

wǎng xià chàng
往 下 唱 ：

rè jiù rè liáng jiù liáng
热 就 热 ， 凉 就 凉 ，

fǎn zhèng méi guān xi
反 正 没 关 系 ！

shuō shì méi guān xi　tā hái shi xiǎng qǐ le jǐ tài tai jiǎng
说 是 "没 关 系" ， 他 还 是 想 起 了 鸡 太 太 讲

de wǎng bó gěng er shang chuī liáng qì de huà　tā cháo hēi àn li zhāng
的 "往 脖 颈 儿 上 吹 凉 气" 的 话 。 他 朝 黑 暗 里 张

wàng yí xià gǎn jǐn shuō zhè ge gē er bù hǎo zài huàn yí gè
望 一 下 ， 赶 紧 说 ： "这 个 歌 儿 不 好 ！ 再 换 一 个

ba
吧 ……"

xiǎo zhū yòu chàng
小 猪 又 唱 ：

84

dà xiá dǎn zi tè bié dà
大侠胆子特别大，

tiān bú pà dì bú pà
天不怕，地不怕。

yào shi shéi gǎn lái dǎo luàn
要是谁敢来捣乱，

yí gùn zi wǒ jiù dǎ biǎn tā
一棍子我就打扁他！

zhè me yí chàng xiǎo zhū de xīn lǐ shū fu duō le
这么一唱，小猪的心里舒服多了。

tā chàng le yí biàn yòu yí biàn zhí chàng dào dì yī pà zhàn le shàng fēng
他唱了一遍又一遍，直唱到“第一怕”占了上风。

xī li hū lū de dì yī pà shì shén me hā pà kùn
唏哩呼噜的“第一怕”是什么？哈，怕困！

tā men zhū jiā de rén dì yī pà kùn dì èr pà è zhǐ yào yí kùn huò zhě yí è pà guǐ kě jiù pái dào hòu tou qù le
他们猪家的人，第一怕困，第二怕饿，只要一困或者一饿，“怕鬼”可就排到后头去了。

zhū dà xiá xiān shi dǎ dǔn er shàng shēn měng de wǎng qián yì qīng tā gǎn kuài zuò zhí kě shì jǐn jiē zhe tā yòu dǎ le dì èr gè dǔn er zhè cì tā yì tóu pū zài dì bǎn shang shǒu li de mù bàng rēng
猪大侠先是打盹儿，上身猛地往前一倾，他赶快坐直。可是紧接着他又打了第二个盹儿。这次他一头扑在地板上，手里的木棒扔

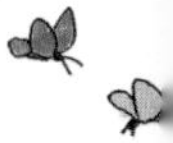

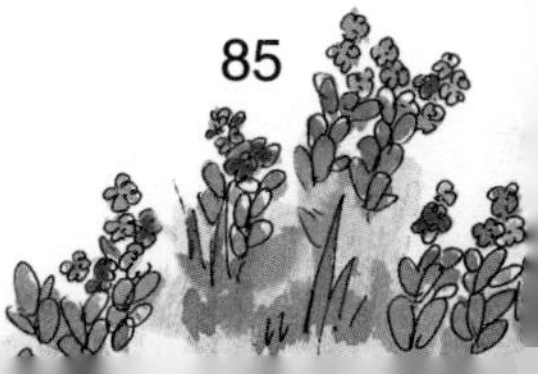

了，小椅子也一齐
翻倒，扣在他身上。

小猪嘟囔了
一句："哇，困死
啦……"身体一动也没动，就那么睡着了。

他睡的时间不长，有什么东西"扑棱"响
了一声。

虽然声音很轻，小猪还是惊醒了。事情就
是这样：有时候，很轻的声音反倒让人警觉。

小猪躺在地板上，一动也不敢动，光是竖
起耳朵听。

他觉得有谁轻轻从背后走向他，向他脖颈

儿上吹凉气，正像鸡太太说的那样，那是一股
"阴森森的风"。

小猪吓得浑身的毛毛儿都竖起来了。

他检查屋子的时候，曾看见墙角有个大筐，掀开盖子看，里头有三四十个鸡蛋。当时他就想，这是个藏身的好地方。钻进这里头，准比钻到床底下要安全得多，因为，妈妈在他躲藏起来的时候，总是先掀开床单，往床底下看。

现在到了利用一下那个大筐的时刻了。小猪鼓足力气，"腾"的一下从地板上蹦起来，一头钻进那个大筐，把盖子拉得严严的。

看来，鬼也拿他没办法，不再往他脖颈儿上吹凉气了。

87

小猪侧着头使劲儿听，也没再听到"沙沙"的声音，不知道是因为盖子盖得太严，还是因为鬼已经走了。

大筐里还铺着柔软的干草，小猪觉得身底下热乎乎的很舒服，又睡着了。

这一觉睡的工夫可不小。

睡着睡着，小猪忽然听见地板上响起"哆哆，哆哆"的声音。他睡得稀里糊涂，以为正是半夜三更，身上的毛毛儿不由得又直竖起来：鸡太太讲过，鬼有时候是从地底下钻出来的！

接下来更可怕了：有两只毛茸茸的手，轻

轻抓他的肚皮！

小猪"吱儿"

一声尖叫，顶开筐

盖跳出来。

屋子里亮得晃眼。原来，早就天光大亮，太阳光已经灌满了房间。

那个大筐塞满了稻草，密不透风，小猪感觉不到天已大亮。

大筐里一片"叽叽叽叽"的叫声。小猪探头向里看，呀！筐里有一大群黄色的、毛茸茸的小东西！

原来，他整整一宿趴在鸡蛋上，孵出了一大窝小鸡！

小鸡在筐里又是叫，又是跳："叽叽叽，要

89

chū qù
出 去 ！"

"叽 叽 叽，

yào chū qù
要 出 去 ！"

xī li hū lū
唏 哩 呼 噜

kuài huo de hǎn　　guāi bǎo bao　bié zháo jí
快 活 地 喊："乖 宝 宝，别 着 急……"

tā bǎ kuāng yì qīng　xiǎo jī zǎi er men yì wō fēng pǎo chū lái
他 把 筐 一 倾，小 鸡 崽 儿 们 一 窝 蜂 跑 出 来，

wéi zhù le xiǎo zhū jiào　jī jī　mā ma
围 住 了 小 猪 叫："叽 叽，妈 妈！"

mā ma　jī jī jī
"妈 妈，叽 叽 叽！"

xiǎo zhū hā hā xiào　　cuò la　gāi jiào wǒ　zhū dà xiá
小 猪 哈 哈 笑："错 啦！该 叫 我‘猪 大 侠’。

nǐ men bú guò shì wǒ fū chū lái de　shēng chū nǐ men de kě shì jī tài
你 们 不 过 是 我 孵 出 来 的，生 出 你 们 的 可 是 鸡 太

tai　tā cái shì nǐ men de mā ma
太，她 才 是 你 们 的 妈 妈！"

xiǎo jī zǎi er men bù guǎn　hái shi jiào　jī jī　mā ma
小 鸡 崽 儿 们 不 管，还 是 叫："叽 叽，妈 妈！"

mā ma　jī jī jī
"妈 妈，叽 叽 叽！"

jī jī　wǒ yào qī
"叽 叽，我 要 七！"

90

"我要七，叽叽！"

小猪又哈哈笑：

"是'吃'，不是'七'！

——这个好办，你们跟

我来！"

那一大群鸡崽儿争先恐后地跟着"妈妈"

跑进院子。唏哩呼噜用嘴巴从泥土里拱出好

多蚯蚓来。鸡崽儿们冲上去一阵乱啄，抢不

到的就叫"妈妈"、喊"七七"。小猪说："不要

急，不要急，都有，都有！"

正忙得不可开

交，小猪听见背后有

谁说："恭喜啦，一下

子生了这么多娃娃！"

91

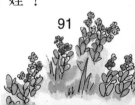

小猪回头看，是一条蛇。他怔了一下，接着就欢喜地大叫："是花花！我怎么老找不着你呀？"

花花说："我搬到这儿来住了，这儿的耗子多。原来昨天晚上钻进筐里孵小鸡的是你呀，太黑，我一下子没认出来！"

小猪忽然明白了："昨儿晚上往我脖子上吹凉气的，准是你！"

花花说："你脸朝外躺着睡觉，我又没认出你，往你脖子上吹凉气干吗呀！"

他想了一下，又说："噢，我明白啦！一定是耗子洞里吹出来的凉风。你躺的地方正靠

着洞口。那些耗子跑进跑出，好难抓！我就在

每个洞口都塞了一块石头，这样就把他们都堵

在里头了。我出洞的时候顶开石头，回洞的时

候用尾巴一卷，又把洞口堵严。"

小猪说："怪不得凉飕飕的，原来是地底下

吹出来的风！那么说，往地板上'啪、啪'摔人

家鸡蛋的，也是你啦！"

花花不好意思地说："后来耗子抓得差不

多了，我没的吃，半夜钻进筐里吃过两回鸡蛋。

我囫囵着吞下去，总

要把肚子里的蛋摔

破，才好把壳壳吐出

来……是鸡太太跟你

讲的吧？"

小猪说："鸡太太不知道是你干的。"

他就把鸡太太找他来抓鬼的事情讲了一遍。

花花一边听一边笑："我可从来没吓唬过她！地板下、墙里头、天棚上都住着耗子，我抓耗子，当然有声音，什么'闹鬼'？她说的'阴森森的风'，大概也是从我顶开了石头的耗子洞里吹出来的。谁没事儿砸她的鸡蛋干什么呀？实在是肚子饿得不好受。'大鬼的脑袋''影子'什么的，也是她自己吓唬自己。有一回半夜，邻居的牛大叔打开手电筒在院子里找什

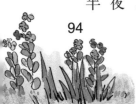

94

me dōng xi　　shù yǐng zài wū li de qiáng shang huàng dòng　　jī tài tai jiù
么东西，树影在屋里的墙 上 晃 动，鸡太太就

xià de dà jiào yì shēng　yòng bèi zi jǐn jǐn méng zhù nǎo dai　　tā zì jǐ
吓得大叫一声，用被子紧紧蒙住脑袋。她自己

dǎn zi xiǎo　guài shéi ya
胆子小，怪谁呀？"

xiǎo zhū yě xiào qǐ lái
小猪也笑起来。

jī zǎi er men pà huā hua　　dōu duǒ zài xiǎo zhū shēn hòu　　jǐ chéng
鸡崽儿们怕花花，都躲在小猪身后，挤成

yì tuán　　jī ji zhā zhā jiào　　xiǎo zhū shuō　　bié pà　　tā shì wǒ de
一团，叽叽喳喳叫。小猪说："别怕，他是我的

hǎo péng you　kuài jiào　　huā hua shū shu
好朋友，快叫'花花叔叔'！"

huā hua shuō　　qiáo tā men nà dé xing　　gēn tā men de mā ma yí
花花说："瞧他们那德行！跟他们的妈妈一

yàng　　jiù huì zì jǐ xià hu zì jǐ　　zuì hòu nà zhī zuì nán zhuā de hào
样，就会自己吓唬自己。最后那只最难抓的耗

zi　　zuó wǎn yě bèi wǒ zhuā zhù le　　zhè dì fang wǒ zài yě méi shì gàn
子，昨晚也被我抓住了。这地方我再也没事干

le　　xiàn zài wǒ jiù bān zǒu　　nǐ yě hǎo gēn jī tài tai yǒu gè jiāo dài
了，现在我就搬走，你也好跟鸡太太有个交代。

āi yā　　chǎo sǐ la　　hǎo　　zài jiàn　　xià wǔ wǒ qù zhǎo nǐ wán
——哎呀，吵死啦！好，再见，下午我去找你玩

er
儿！"

jī tài tai huí lái le　　xī li hū lū bú yuàn yì jiǎng chū tā de
鸡太太回来了。唏哩呼噜不愿意讲出他的

95

好朋友，只告诉鸡太太，她的房子再也不会闹鬼了。鸡太太听了非常高兴，说是要把大侠孵出来的小鸡全都送给他："您瞧，他们跟您多亲热，根本不理我！"

这礼物可把嘻哩呼噜吓坏了——比昨天晚上"鬼"往他脖颈儿上吹凉风的时候还要吓得厉害。想想嘛：以后他就像一只老母鸡似的，整天带着一群鸡崽儿走来走去……那还像个什么大侠呀！

他说什么也不肯要！

鸡太太跟大侠讲实话了："这并不是给您当抓鬼的报酬，我是养活不起呀！就你会孵小鸡，我不会？为什么我不孵？生一个就要缴800块的鸡头税，大侠您一下子给我孵出36个来，

96

您算算，我一下子得缴多少钱？再说还得养！粮食一个劲儿涨价，光是现在这12个娃娃，就把我先生的腰都累弯了！"

猪大侠没想到，他惹出这么大的麻烦来！他只好苦苦央求鸡太太，还是把这群小鸡留下："我会挣钱了。以后我多找些活儿干，保证替您缴齐鸡头税！"

好说歹说，鸡太太总算同意这办法了。

可是麻烦还不止这一件——

猪大侠只要在路上碰到一只小鸡，这小鸡就会叽叽叫："妈妈！妈妈来啦！我要七，七七七！"

一下子，那一大帮鸡崽儿全围上来，欢快地叫"七七"，还紧紧地跟住他，不论他走到哪里。猪大侠唯一的办法就是把他们引回鸡太太

97

de yuàn zi　gǒng qiū yǐn wèi tā men chī　rán hòu　chèn tā men chī de qǐ
的 院 子 ，拱 蚯 蚓 喂 他 们 吃 ，然 后 ，趁 他 们 吃 得 起

jìn er de shí hou　měng rán fān guò qiáng qù　pīn zhe sǐ mìng táo zǒu
劲 儿 的 时 候 ，猛 然 翻 过 墙 去 ，拼 着 死 命 逃 走 。

nǐ men yào shi xiǎng kàn kan zhū dà xiá　fēi yán zǒu bì　de gōng
你 们 要 是 想 看 看 猪 大 侠 "飞 檐 走 壁" 的 功

fu　zuì hǎo zhè shí hou lái kàn　nà kě zhēn shì jí rú shǎn diàn
夫 ，最 好 这 时 候 来 看 。 那 可 真 是 疾 如 闪 电 ！

xún fǎng lù fěi　zhēn xiá dòu jiǎ xiá
3 寻 访 路 匪 真 侠 斗 假 侠

tù zi tài tai gào su gǒu tài tai shuō　nín zài shàng jiē kě děi
兔 子 太 太 告 诉 狗 太 太 说 ："您 再 上 街 可 得

xiǎo xīn zhe diǎn er　zuó er yè lǐ　wǒ men hú tòng li de māo lǎo tài
小 心 着 点 儿 ！ 昨 儿 夜 里 ，我 们 胡 同 里 的 猫 老 太

tai zài lù shang ràng qiáng dào jié la　qiáng dào qiǎng zǒu tā de tí dōu er
太 在 路 上 让 强 盗 劫 啦 ！ 强 盗 抢 走 她 的 提 兜 儿 ，

hái zài tā dà tuǐ shang yǎo le
还 在 她 大 腿 上 咬 了

liǎng gè dòng　nà ge qiáng dào
两 个 洞 。 那 个 强 盗

bào le zì hao　shuō shì　yě
报 了 字 号 ，说 是 '野

zhū dà xiá
猪 大 侠 '！"

狗太太端着饭锅去买馄饨的时候，告诉驴掌柜说："猫老太太在路上被强盗劫啦！那个强盗凶着哪，抢走猫老太太的钱包儿不算，还在她腿上扎了两刀！那个强盗是猪大侠……"

这话是不是传得有些走样儿了？"提兜儿"变成了"钱包儿"，"咬两个洞"变成"扎了两刀"，"野猪大侠"的"野"字也丢了。

驴掌柜告诉来吃馄饨的猴子太太和羊先生说："猫老先生在路上让强盗抢走了一万

块钱，抢走就算了，还在老先生胸口扎了两刀！听说干这件事的是猪大侠，该不是找了徒弟来整治猩猩

99

老二的唏哩呼噜吧？"

猴子太太和羊先生又去对别人讲。传来传去，这话就变成了：唏哩呼噜为了给他爸爸买汽车，夜里拿着刀子出去劫路，抢走了猫老先生的十万块钱不说，还差点儿把他扎死。这孩子本来不错呀，怎么会干出这种事来？这可真是"学坏容易学好难"哪！

这话传到了猪先生的耳朵里，猪先生完全不相信唏哩呼噜会干出这种事，可还是把他的宝贝儿子狠狠揍了一顿。他一边使劲儿抽他

屁股，一边说："为什么人家不讲别的孩子，偏讲你？可见你小子有毛病！"

大伙儿都传这件事，一见猪先生来了，就把声音放低，变成窃窃私语，这很让他丢面子。猪先生可是个体面人！

过了两天，又传开一个消息：猪大侠夜里钻进了超级市场，把里头的香蕉、苹果、大鸭梨，还有萝卜、土豆、圆白菜，吃了个精光。

猪先生又把唏哩呼噜狠揍了一顿。

唏哩呼噜对自己说："这样下去可不行！"

他决定去访访那个冒牌儿的猪大侠。

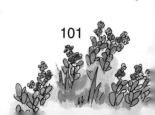

也不光是为了自己不再挨揍，除暴安良是侠客的本分。他可是真正的猪大侠！

天黑以后，唏哩呼噜提了木棒，溜出家门。

他悄悄沿着路边走。四周一片寂静，他只听见自己的心跳声："扑通、扑通、扑通……"

突然间，一个高大的家伙从黑影里跳出来，喝道："嘿，站住！野猪大侠在此！"

这声断喝真像平地一声雷。小猪被吓了个跟头，摔倒的时候，手里的木棒也扔出去了。

那个家伙弯腰看看小猪，乐了："原来是我亲戚，快起来，快起来！"

小猪爬起来，先把木棒抓到手里。看见那

家伙挺和气，小猪又来了劲儿："谁是你亲戚！

你竟敢冒充……冒充……"

他想说"冒充猪大侠"，可是没说出口。

第一，人家分明是讲"野猪大侠"；第二，那家伙跟爸爸个头儿差不多，而且十分精壮，他的长嘴巴上还龇出两根白森森的尖牙齿，显得威风凛凛，实在比自己更像个大侠。

"我谁也没冒充，我就是野猪大侠。"那家伙心平气和地说，"能碰上你可太好啦！白白嫩嫩的，日子想必过得不错。你准不知道夜里睡在马路上是什么滋味儿！"

小猪说："碰上也白搭，我才不认你这样的亲戚！你抢走猫老先生十万块钱，还在人家胸口扎了两刀……"

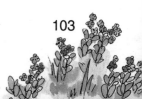

103

"你胡扯些什么呀！"野猪大侠说，"这跟我有什么关系？"

小猪说："别装傻，就是你干的！"

野猪大侠叫起屈来："冤枉啊！什么猫老先生？什么十万块钱？什么扎了两刀？你看我有刀吗？不信你搜搜！你还拿着根棍子，我连根筷子都没有！那天晚上我饿极了，遇上个老太太，可能是只猫，可我保证那不是个'先生'，先生没那么小气的！她提的包里头有点心。我见她一边走一边吃，就上去跟她讨一块。那老太太真抠门儿，说什么也不给。我说那就半块吧，半块也不给！

我急了，在她大腿上咬了一口，提起她的包儿就跑了。她那个包儿里，连一个铜板都没有！"

小猪说："就算这样吧，也还是拦路打劫。你是不是还钻进人家的超级市场，把青菜和水果都吃光了？"

野猪大侠点点头说："有这回事。可是我有什么办法？肚子饿呀！好汉做事好汉当，我吃完了，在墙上写了八个大字：'偷吃者，野猪大侠也！'"

小猪说："抢人家、偷人家，还算什么大侠！"

野猪大侠说："大侠不是要劫富济贫吗？"

小猪说："'济'你自己呀？"

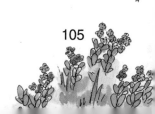

105

野猪大侠说："你能说我不'贫'？我还没见城里的有哪个比我更穷！好了好了，别再说废话，赶紧领我到你家去吧！"

"到我家去干吗？"

"睡觉哇！你瞧，天都这么晚了，你总不好意思让我还在马路上睡吧？那还算什么亲戚！"

小猪说："那你得先承认，抢猫老太太、偷超级市场是不对的！"

野猪大侠忽然冲上来，照着小猪的大腿就是一口。

小猪疼得"吱儿"一声尖叫。

野猪大侠说："看在亲戚的分儿上，我还没使劲儿咬呢！你带不带我去？"

小猪叹了一口气说："那好吧……"

106

野猪大侠摇摇头："你们城里人，个个都小里小气，跟你们打交道，难着呢！亏得我长了一口好牙。"

其实唏哩呼噜要领他回家，一半儿是因为觉得他睡在马路上很可怜。他心想："我明天可以带他出去干活儿。有了吃的，他就不会去抢、去偷了。"

他对野猪大侠说："到了我们家，你赶紧进我屋子，别让我爸瞧见你。"

野猪大侠说："你爸算老几呀！他有我这么厉害的牙齿吗？他敢把我野猪大侠怎么样？"

小猪说："不敢把你怎么样，可是准敢把我揍一顿！"

野猪大侠说："随便揍人还行？你放心，他

gǎn zòu nǐ, wǒ jiù gǎn yǎo tā. dà xiá jiù shì zhuān guǎn zhè ge de
敢揍你，我就敢咬他。大侠就是专管这个的！"

xiǎo zhū lián máng shuō nǐ kě bié hú lái
小猪连忙说："你可别胡来！"

huí dào jiā xī li hū lū qiāo qiāo bǎ yě zhū dà xiá lǐng jìn zì
回到家，唏哩呼噜悄悄把野猪大侠领进自

jǐ de fáng jiān wèn tā nǐ chī guo wǎn fàn le ba
己的房间，问他："你吃过晚饭了吧？"

yě zhū dà xiá shuō hái méi yǒu wǒ zhèng xiǎng shuō ne
野猪大侠说："还没有。我正想说呢！"

nǐ gāng cái zěn me guāng shuō lái shuì jiào
"你刚才怎么光说来睡觉？"

pà yì qǐ shuō bǎ nǐ xià zháo zuò shì qing yào yí bù yí bù
"怕一起说把你吓着，做事情要一步一步

de ma dào le nǐ jiā nǐ hái néng bù guǎn fàn
的嘛！到了你家，你还能不管饭？"

xiǎo zhū liū jìn chú fáng gěi kè rén duān huí mǎn mǎn yì lóng tì
小猪溜进厨房，给客人端回满满一笼屉

wō tóu
窝头。

yě zhū dà xiá yí tòng
野猪大侠一通

dà jiáo bǎ yí tì wō tóu
大嚼，把一屉窝头

quán chī guāng le jiē xià lái
全吃光了。接下来，

gā bā gā bā tā bǎ
"嘎巴嘎巴"，他把

笼屉也嚼碎吞了下去。小猪说："哇，你怎么连笼屉都吃了？"

野猪大侠说："没事儿，我牙好！"

小猪着急地说："你没事儿，我有事儿啊！明天早上我妈找不着笼屉，还不找我算账？"

野猪大侠一挥手："明天的事儿，明天再说，现在睡觉！"

小房间里只有一张床。野猪大侠说："我睡床，你睡地板——我好几个月没睡床啦！"

小猪说："这张床你不能睡，因为……"

野猪大侠说："你们城里人就是……"说着，跳上来就咬了小猪一口，疼得小猪"吱儿"

109

yì shēng jiān jiào
一声尖叫。

yě zhū dà
野猪大

xiá gāng wǎng chuáng
侠刚往床

shang yì tǎng　jiù
上一躺，就

tīng jiàn　gā bā gā bā　huā lā lā lā　yí piàn xiǎng　xiǎo chuáng
听见"嘎巴嘎巴""哗啦啦啦"一片响，小床

zhěng gè kuǎ xià qù　biàn chéng le　yì duī suì mù piàn er
整个垮下去，变成了一堆碎木片儿。

yě zhū dà xiá zài nà shàng miàn tǎng le　yí huì er　tiào qǐ lái
野猪大侠在那上面躺了一会儿，跳起来

shuō　nǐ de chuáng yì diǎn er dōu bù hǎo　yòu gè yāo yòu zhā pì gu
说："你的床一点儿都不好，又硌腰又扎屁股，

hái shi nǐ zì jǐ shuì ba
还是你自己睡吧！"

shuō wán　tā gǔn dào dì bǎn shang　lì kè　hū lū hū lū　de
说完，他滚到地板上，立刻"呼噜呼噜"地

shuì zháo le
睡着了。

dì èr tiān zǎo chen　xiǎo zhū duì yě zhū dà xiá shuō　nǐ bié zài
第二天早晨，小猪对野猪大侠说："你别再

qù qiǎng le　jīn tiān wǒ dài nǐ chū qù gàn huó er　zán men dào fàn guǎn
去抢了，今天我带你出去干活儿。咱们到饭馆

qù duān pán zi　xǐ wǎn dié
去端盘子，洗碗碟。"

110

野猪大侠摇摇头说:"不行啊!我试过。他们说我呆头呆脑,只配留在乡下种地。我们那儿的人都说城里的钱好挣,进城就能发大财,谁知道是这鬼样子!"

唏哩呼噜说:"我认识一个地方,他们那儿需要干活儿的。你跟我学着做,准能挣到钱。到时候,咱们就能买到好多好吃的东西。"

野猪大侠一听,立刻来了精神:"好,你教给我,我给你当徒弟!"

恰巧在这时候,猩猩老二提着一篮子水果走进小猪家的院子。听到说话声,他心想:"这个小猪崽儿好厉害,不知又收了谁当徒弟……"

他走进屋子看见野猪大侠,不由得吓了一跳。哇,这家伙看上去比老棕熊先生还要凶嘛!

111

因为害怕，他向唏哩呼噜说了几句"今儿个天气真不错""您身体好吧"什么的，立刻就告辞了，临走还随手提起水果篮子。他不敢再留下那篮水果惹麻烦。

可是野猪大侠追了出去，在猩猩老二的大腿上狠狠咬了一口，喝道："喂，把东西留下来！"

猩猩老二疼得"哇"一声大叫，丢下水果篮子，一瘸一拐地逃走了。

"我就说你们城里人小气嘛！"野猪大侠提着篮子走进来说，"明明来送礼，想一想后悔了，又要提回去！"

说着，他从篮子里掏出一个苹果，在衣服上蹭蹭，就往嘴里送。小猪拦住他说："不要吃！我可不想收他的礼物！"

112

野猪大侠跳上去，先咬了小猪一口。小猪疼得"吱儿"一声尖叫，急忙逃开。野猪大侠说："你不收，我收！"

他一边说，一边"嘎巴嘎巴"，把篮子里的香蕉、苹果、大鸭梨全吃了。他吃得还不尽兴，又抓起水果篮子，一口咬上去。

没料到这么一咬，他那两颗像尖刀一样的长牙齿忽然歪斜了。

"这是怎么回事？"野猪大侠觉得不对头，连忙伸手去摸。

这么一摸，两颗长牙齿"叮叮""当当"，都

113

掉在地板上。

“这不可能！”

野猪大侠跳起来大叫。

随着叫声，又“乒乒乓乓”一阵响，他满口的牙都滚出来，散落得满地都是。

“这不可能！”他叫得更凶，可是这回已经是满口冒风，听上去“咝咝”的，“我连石头都嚼得碎，怎么这篮子会硌掉牙？”

“是呀！”小猪心里想，“昨儿晚上还嚼碎了一层笼屉呢……哎呀不妙，是不是这水果——”

他慌慌张张跑过来问：“这水果里边，

有没有橘子？"

野猪大侠说："有十来个呢！橘子怎么啦？"

小猪说："这准是他哥哥的橘子！那玩意儿

不得了，马太太只尝了一个，满嘴的牙就掉光

了！我一个朋友……"

野猪大侠像疯了一样在地上跳："我要找

他去算账！我要把他的牙都敲下来！"

接着，他就像一阵旋风似的冲出去。

小猪猜对了。

原来，水果批发站的猩猩经理听说象博士

发了财，买了别墅，就找上门去，要求把钱分

给他一半。象博士心里明白，要不是猩猩经理

批发的橘子酸掉了那么多人的牙，他的牙科诊

所门前就绝不会排长队。要是他自己独吞，惹

恼了猩猩经理，经理不再进那种比柠檬还酸十倍的橘子，自己的生意就完蛋了。所以讨价还价了一番，他答应猩猩经理每卖掉一筐橘子，他就付给猩猩经理两万块钱。猩猩经理知道他弟弟猩猩老二是市场上的一霸，谁酸掉了牙也不敢找他算账，就拉了一卡车，白送给老二。

猩猩老二一直以为棕熊先生狠揍他一顿是唏哩呼噜指使的，怀恨在心。听说棕熊先生出国传授种冬瓜的经验去了，猩猩老二觉得机会难得，就假装看望唏哩呼噜，在水果篮子里掺进几个那种橘子，要给小猪一点儿苦头吃。

话说野猪大侠追到大门外，猩猩老二已经溜得无影无踪。想想自己没了牙，在城里也没

法儿再混下去，野猪大侠长叹一声，悄悄回乡下去了。

这么一来，镇上又传开了一个消息：原先干坏事的那个家伙，是个冒牌货。真正的猪大侠听说了这事，非常生气，提起棍子就寻上门去。猪大侠少林棍法精奇，也不打对手别处，每送上一棍，就敲掉假猪大侠一颗牙齿，几十个回合过去，把那家伙敲得一颗牙齿也没剩下。假大侠只好跪在地上求饶，还磕头央告真大侠收他当徒弟。猪大侠撇撇嘴说："滚得远远的，别让我再瞧见你！"

117

yú shì   dà xiá xī li hū lū yòu gěi zhèn shang chú le   yí hài
于是，大侠唏哩呼噜又给镇上除了一害。

nǐ men kàn ma   shì bú shì zài yě méi yǒu yì tóu zhū ná zhe dāo zi jié
你们看嘛，是不是再也没有一头猪拿着刀子劫

lù de shì le
路的事了？

cǎo bāo zhēng qì   tiān xià wú dí shǒu
草包争气 天下无敌手

zhè tiān wǎn shang xiǎo zhū xī li hū lū gāng gāng shuì zháo   jiù yǒu
这天晚上，小猪唏哩呼噜刚刚睡着，就有

rén xiān kāi tā de bèi zi   shǐ jìn er jiū tā de xiǎo wěi ba
人掀开他的被子，使劲儿揪他的小尾巴。

xiǎo zhū zhēng kāi yǎn jing   jiàn shì xiǎo hóu zi pí pi   xiǎo zhū chě
小猪睁开眼睛，见是小猴子皮皮。小猪扯

huí bèi zi méng zhù tóu   hēng heng
回被子蒙住头，哼哼

jī jī de shuō   nào shén me
唧唧地说："闹什么

ya   rén jia hǎo kùn
呀，人家好困！"

xiǎo hóu zi pí pi shuō
小猴子皮皮说：

nǐ zhè ge dà xiá guāng zhī dào
"你这个大侠光知道

118

睡觉！大盗猩猩老二截住兔子玲玲，要抢她的钱！"

唏哩呼噜立刻跳起来，一边穿衣服，一边

急着问："在什么地方？"

皮皮说："在吊死鬼胡同。"

小猪往窗外看看，外边很黑。他又坐下，

对皮皮说："你撒谎！这么晚，玲玲才不会出来！"

皮皮说："什么我撒谎，是你听说在吊死鬼

胡同，不敢去了！"

小猪说："才不对。我还帮鸡太太捉过鬼

呢……"

皮皮说："那你是怕猩猩老二！"

小猪说："更不对！猩猩老二一见着我就

鞠躬，还说：'猪大侠您吃啦？'"

皮皮说："那就快走！玲玲可着急了，让我

119

快来找你，说除了猪大侠，没人能救得了她。"

"她真是那么说的？"

"当然啦！你别怕，要是猩猩老二真敢动手，还有我呢！"

小猪大声说："走！"

他们出了门，一路飞跑。可是跑到吊死鬼胡同口，小猪一回头，小猴子不见了。小猪连叫了三声"皮皮"，都没有人回答。

月亮又大又圆，像个白灯笼，就挂在房顶。

胡同里有谁哇哇叫，还有谁嘤嘤地哭。

小猪大踏步走过去。

猩猩老二手持一把切西瓜的大刀，正用它在兔子玲玲鼻子前晃来晃去："快把钱掏出来，不然我就不客气啦！"

兔子玲玲两手各抓着一只长耳朵擦眼泪，耳朵都湿透了："我真没有钱……"

小猪冲上去，一指猩猩老二说："你给我住手！"

猩猩老二吃了一惊，扭头见是唏哩呼噜，连忙丢下西瓜刀，向他鞠躬说："猪大侠晚上好！您吃啦？出来遛个弯儿？您瞧今儿晚上的月亮多好！"

唏哩呼噜真希望小猴子皮皮跟他一起来。

tā bī jìn yí bù，wèn
他 逼 近 一 步 ， 问

xīng xing lǎo èr shuō　 nǐ zài zhè
猩 猩 老 二 说 ："你 在 这

er gàn shén me
儿 干 什 么 ？"

xīng xing lǎo èr péi zhe xiào
猩 猩 老 二 赔 着 笑

liǎn， diǎn tóu hā yāo de shuō　méi shì er　 méi shì er　 zhè ge xiǎo
脸 ，点 头 哈 腰 地 说 ："没 事 儿 ！没 事 儿 ！这 个 小

gū niang mí lù le　 wǒ wèn tā de jiā zài nǎ er　 xiǎng bǎ tā sòng huí
姑 娘 迷 路 了 ，我 问 她 的 家 在 哪 儿 ，想 把 她 送 回

qù， kě shì tā bù shuō huà　guāng shì kū
去 ，可 是 她 不 说 话 ，光 是 哭 ！"

zhū dà xiá wèn　 nǐ ràng tā bǎ shén me tāo chū lái
猪 大 侠 问 ："你 让 她 把 什 么 掏 出 来 ？"

　　ō ō　wǒ shì shuō qián　 ā　 shì zhè me huí shì
"噢 ，噢 ！我 是 说 钱 —— 啊 ，是 这 么 回 事 ：

wǒ xiǎng tì tā jiào yí liàng chū zū qì chē　 wèn tā dài zhe qián méi yǒu
我 想 替 她 叫 一 辆 出 租 汽 车 ，问 她 带 着 钱 没 有 。

tā yào shi méi dài zhe qián ne　 wǒ jiù gěi tā chē qián
她 要 是 没 带 着 钱 呢 ，我 就 给 她 车 钱 ……"

tù zi líng ling kū jiào　 tā sā　 sā huǎng
兔 子 玲 玲 哭 叫 ："他 撒 …… 撒 谎 ！"

zhū dà xiá shuō　 nǐ qiáo　 rén jia shuō nǐ sā huǎng
猪 大 侠 说 ："你 瞧 ，人 家 说 你 撒 谎 。"

xīng xing lǎo èr xī pí xiào liǎn de shuō　 wǒ shì sā huǎng le　 wǒ
猩 猩 老 二 嬉 皮 笑 脸 地 说 ："我 是 撒 谎 了 ，我

正抢这个小兔子的钱呢，你能把我怎么样？"

说着，他还笑嘻嘻地给了猪大侠一个耳光。猪大侠没防备，让他打了个大跟头，坐在地上发呆。猩猩老二说："哼，你当我真怕你呀？我凭什么怕你，就因为老棕熊是你徒弟呀？呸，我早打听清楚了，人家是把你当成了皮球，你还冒充是人家的师父！"

小猪分辩说："我没讲过我是他师父哇！"

猩猩老二叫道："你还耍赖！是不是你讲的去叫你徒弟来收拾我？就会吹牛！还说在鸡婆子家捉鬼，捉什么鬼？那鬼就是你好朋友装的！"

猪大侠说："我去的时候可不知道……我真不知道！"

猩猩老二一瞪眼："你再说，我还给你个耳光！你还胡吹，说那个野猪大侠也是你徒弟，其实他一高兴就揍你一顿，你给人家当徒弟，人家还不要你呢！他是吃了我的酸橘子，才掉了满嘴的牙，要说除害，是我给镇上除了害。你倒四处去说，牙是你用棍子一个一个敲掉的！"

小猪叫屈："是他们瞎传的，我从来没说过！"

猩猩老二冷笑："什么狗屁'猪大侠'，简直就是个草包、饭桶嘛！"

把唏哩呼噜数落了一大顿，猩猩老二说："你说'我是个草包、饭桶'！说！你说了，我就放你走。不然，我今天揍扁了你！说呀！你说

124

bù shuō
不说？"

xiǎo zhū zuò zài dì shang
小猪坐在地上，

tōu kàn le líng ling yì yǎn líng
偷看了玲玲一眼。玲

ling zhèng jiāo jí de dīng zhe tā
玲正焦急地盯着他。

xiǎo zhū lián máng pá qǐ lái xīn xiǎng líng ling xìn rèn wǒ jīn
小猪连忙爬起来，心想："玲玲信任我，今

tiān zhuān xiàng wǒ qiú jiù wǒ kě děi ná chū dà xiá de zhēn běn shi lái
天专向我求救。我可得拿出大侠的真本事来，

jué bù néng ràng tā shī wàng
决不能让她失望！"

xīng xing lǎo èr yí jiàn xī li hū lū zhàn qǐ lái hè dào nǐ
猩猩老二一见唏哩呼噜站起来，喝道："你

gěi wǒ tǎng xià ba
给我躺下吧！"

suí zhe hè shēng měng tī yì jiǎo xiǎo zhū xiàng gè pí qiú yí yàng
随着喝声，猛踢一脚。小猪像个皮球一样

gěi tī de fēi qǐ lái zhí xiàng qiáng shang zhuàng qù tā suī rán suō tóu
给踢得飞起来，直向墙上撞去。他虽然缩头

cáng wěi què zài zhuàng dào qiáng shang de yí chà nà shēn chū shuāng tuǐ
藏尾，却在撞到墙上的一刹那，伸出双腿

yì dēng
一蹬。

xīng xing lǎo èr jiàn xiǎo zhū bèi tī chū qù mǎn yǐ wéi tā huì bèi
猩猩老二见小猪被踢出去，满以为他会被

125

撞昏，四脚朝天躺在地上，不料小猪竟反弹回来，砰的一声，正撞在自己胸口上。猩猩老二闷哼一声，仰面朝天倒下去。

猪大侠稳稳站住，笑着说："是你自己踢倒了自己，不算！"

猩猩老二冒火，跳起来的时候抄起地上切西瓜的大刀，照着猪大侠脑袋直砍下去。猪大侠不躲闪，反倒把脖子一挺，只听得当的一声响，火星子四溅。大侠的脑袋连个白印儿也没留下，猩猩老二的西瓜刀却震得脱手飞出去，嚓的一声扎在墙头。坏小子手也震破了，甩着胳膊，"哎哟哎哟"直叫唤。

126

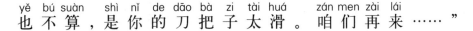

兔子玲玲欢喜得鼓起掌来。

猪大侠站着不动，对猩猩老二说："这回也不算，是你的刀把子太滑。咱们再来……"

猩猩老二趁小猪说话的工夫，用尽全力打出一拳。眼见拳头就落在猪大侠身上，猪大侠忽然不见了，猩猩老二收不住脚，偏偏闪到他背后的猪大侠又就势一推，猩猩老二一直朝前倒下去，来了个嘴啃泥。

这下子摔得不轻，猩猩老二趴在地上直哼哼。兔子玲玲高兴得不知如何是好，她跑上来，在小猪脸上使劲儿亲了一下。

小猪有些心慌，脸也红了。他对玲玲说：

"咱们走吧，我送你回去……"

他们走出不远，

猩猩老二爬起来，

悄悄跟上，到了近处，忽然一阵风似的扑上去。

猪大侠就像脑袋后头也长着眼睛，等猩猩老二扑到背上才猛地一蹲，猩猩老二绊到他身上，一头栽下。小猪生气了："你这家伙真无赖！我一直不还手，你倒没完没了！"

说着，小猪抓住猩猩老二两只脚，往上一抡，猩猩老二飞起来，越过重重屋脊，也不知飞到哪里去了。

玲玲惊讶地叫："你力气好大哟！"

小猪自谦地说："也谈不上。武艺这东西，

光凭力气不行，有时候是一股巧劲儿，就是借对手的力量打他……"

他们一路说说笑笑，从胡同里走到大街上。

大街上竟站着许多居民，把宽宽的马路都堵严了，一见猪大侠他们走来，立刻有谁喊叫："那个该死的猪崽子来了！"

小猪定睛看，喊叫的正是猩猩老二。猩猩老二一叫，他身后又闪出个躯体高大、十分粗壮的家伙。那家伙抢上来说："我也有笔账要跟你算！你撞碎我的头号大冬瓜，害得我丢了'飞天'牌摩托车，要不是猩猩老二告诉我，我还当你是个足球呢！"

这位凶巴巴的
是老棕熊先生。

他的话还没讲
完，又有个凶神恶
煞般的家伙拨开人群走出来："哈，你个猪崽
子！上回你开枪吓唬我，想办法溜了，害得我
饿了三天。这回看你往哪儿跑！"

这家伙竟是月牙熊！

月牙熊跑上去跟棕熊先生握握手，拍拍
他的肩膀说："哥们
儿，今天我也不能独
吞，把他撕开，咱们俩
一人一半儿！"

兔子玲玲吓坏了，

130

她使劲儿抓住唏哩呼噜的胳膊，颤声说："咱们快跑吧！"

这时候，又有个龇着两根尖牙齿的家伙跑上来，冲着小猪吼叫道："认得我吧，猪崽子？要不是你不准我劫路，我就不会到你家去！要是不到你家去，我就不会吃橘子！要是不吃橘子，我就不会酸掉了满嘴的牙！今天我跟你没完！"

这是野猪大侠！他跑到猩猩老二面前，跟他握手说："谢谢你，二先生！要不是您出钱帮我镶好了牙，我就完蛋啦！这新牙很结实，今天我拿这猪崽子做试验，咬给你看！"

猩猩老二笑着说：

131

"不客气，不客气！咱们共同努力！"

他们几位这么一闹，围在那里等着看热闹

的就更来情绪了，站在后边的拼命往前挤。小

猪安慰玲玲说："别害怕，没事儿！"

他又跨前两步说："不要讲废话了，你们

说，咱们是单打独斗，还是你们一齐上？"

那四个还没开口，有一位穿着西服、有点

儿驼背的大个子先生走出来。他朝大家鞠个

躬，一板一眼地说："各位、晚安！兄弟是、'西

里华拉'、大饭店的、骆驼经理。请各位、多多

关照！为支持、本镇的、武术运动的开展，本大

饭店、愿意出资，摆设擂台！想揍人的，都到台

上去揍。获第一名的，奖赏、本大饭店特制

的、一吨重的、'西里华拉'大蛋糕、一个！本

大饭店的、蛋糕，经外国专家鉴定，已超过、外国、同类产品水平！味道、好不好，一尝、就知道！"

大伙儿听了，一齐鼓掌。能打的，都想得到那个特制的大蛋糕；不能打的，都想看到别人打个你死我活。动物镇的居民有个毛病，就是特别喜欢看打架。要是一天没看到打架，他们连晚饭都吃不下去。

十米高的大擂台一下子就搭起来了。台上有条大横幅，写着：

西里华拉武术大赛

大饭店把他们舞厅的灯都装到擂台顶

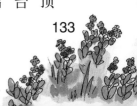

133

上，不仅把擂台照耀得如同白昼，还花花绿绿，十分好看。特制的、一吨重的"西里华拉"大蛋糕就摆在擂台一角。奶油的香气四溢，害得大伙儿不住地咽口水。

兔子玲玲可没心思顾蛋糕，她悄悄扯扯小猪的袖子说："趁着他们不注意，赶快走吧！"

小猪说："不对……你没瞧见猩猩老二一直盯着我？"

骆驼经理站到台前说："大赛，现在、开始！凡是，把对手、揍得、爬不起来，或者，弄下擂台，就是、赢了！"

134

野猪大侠抢先沿梯子爬上擂台，一指台下

说："小崽子，你给我上来！"

唏哩呼噜根本用不着梯子。他双脚一跺，

就轻飘飘地跃上了十米高的擂台。台下的观

众齐声喝彩。

野猪大侠还没动手，先输了一招儿。他十

分恼火，直冲上去，施展出看家的本领，先在

小猪的大腿上狠狠咬了一口。

他没想到，这一口竟像咬在铁棒上，刚刚

镶上的满嘴新牙齿，齐齐地落下。野猪大侠

暴跳如雷，把头

一低，冲着小猪

发疯一般撞去。

小猪也不想太

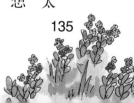

难为他，只把身子一旋闪开了。野猪大侠撞空，前边也没个遮拦，畅通无阻地冲出擂台，倒栽下去。

台下的观众响起雷鸣般的喝彩声。骆驼经理宣布说："这第一仗，猪先生、赢了！"

月牙熊先生上了台。他冷笑说："你这猪崽子一贯投机取巧，又碰上了这么一个傻瓜。今天撞到我手里，可该你倒霉了，有本事你别跑！"

小猪说："野猪先生要是傻瓜，您可就是个真正的坏蛋了！"

月牙熊刚听他说出"坏蛋"两个字，就挥臂击出一掌，这一掌带着风声。小猪弓腰闪开，就势往他腿上一撞，月牙熊"咕咚"一声栽

136

到地上，听到台下响起一片哄笑。小猪站到他面前，招手说："起来！起来！"

月牙熊大怒，不等爬起就伸出胳膊去捞小猪的两腿。那两条腿就在眼前，月牙熊以为这一把准能将小猪抓在掌心，谁知有一条腿忽然自己送了上来，狠狠踢到他鼻子上。月牙熊疼得哇的一声大叫，一时两眼发黑。

在这四个挑战的对手里，小猪只讨厌猩猩老二和月牙熊，而最坏的，他认为就是月牙熊，所以他对月牙熊很不客气，不等月牙熊站起来，又上去给了他一脚。月牙熊又咕咚一声趴下了。

他就这么左一脚、右一脚，一直踢得月牙熊再也不想爬起来。骆驼经理宣布说："这一

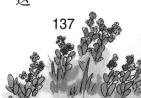

仗、又是、猪先生、
赢了！"

第三个走上
擂台的，是威风凛凛
的棕熊先生。棕
熊先生很有大将风度，他巍然站立不动，说
道："猪先生出招儿吧！我可比刚才那位力气
大些，你最好不要跟我硬碰硬。请！"
小猪说："承教承教！不过，我倒很想试试
'硬碰硬'。"
说完，他直
向棕熊身上撞
去。棕熊也不躲
闪，运足力气，单

138

等小猪倒撞回去，摔个仰面朝天。他怎么也没想到，小猪这一撞就像是一辆大卡车撞到他身上。他"噔、噔、噔"倒退了四五步还是收不住脚，一屁股坐在地上。

这位大将脾气不好，台下一喝彩他就冒火了，跳起来就扑向小猪。猪大侠早讲了要"硬碰硬"，也不躲闪。棕熊先生双手抓住小猪，就想举起，扔下擂台去。也不知怎么回事，

没把小猪举起来，他自己倒两腿悬空了。

猪大侠借势举起棕熊先生，心想："这台太高，怕是要

摔坏了老头儿……"眼光一扫，看见牙科诊所的

象博士正坐在一把藤椅上待着，就瞄准了他，

把棕熊先生朝下一掷。

老棕熊飞下去，正跌进大象怀里，如同落

在软垫子上，果然没摔着。象博士却吃了点儿

苦头，整个身体连同椅子一起，朝后倒去，后脑

勺子撞到马路上。

象博士爬起来，竟直奔擂台。梯子"嘎吱

嘎吱"响，几乎被他压断。攀上去之后，他对

小猪说："唏哩呼噜，不是我以大欺小，我也不

在乎你撞了我脑袋。明天是我太太的生日，你

也伺候过我太太，知道她最爱吃奶油蛋糕。这

个蛋糕个儿还真大，拿到我家去最合适，我只

好对不起你啦！"

小猪说："您别客气，来吧！"

象博士伸出长鼻子，使劲卷来，那意思是要把小猪拦腰卷起，扔下擂台了事。

台下的观众，连兔子玲玲在内，都断定这场戏就要收场了。谁还敢再上台来跟一头大象争啊！

谁都没料到事情会是这样：猪大侠见大鼻子抡起来，不但没躲，反倒一把抓住鼻子尖端，用力一扯。象博士被他扯得"轰隆"一声趴在台上。

台下一时鸦雀无声，因为大伙儿全都惊呆

了：他们眼睁睁地看到，小猪又双手扯住大象的鼻子，把他抡得离开地面，又兜了好几个圈子，突然松开手。

大象飞向空中，小猪才想起用眼睛去寻找兔子玲玲。玲玲正站在观众里跺着脚喊："好哇！好哇！了不起！唏哩呼噜真了不起！"

小猪笑着向玲玲挥手，可是他高兴得太早了——说来也奇怪，飞出去的大象在空中兜了个圈子，又飞了回来，轰隆一声落在擂台上。

只听得"咔嚓！哗啦啦"，擂台被砸得垮下来。那个极大的蛋糕也被震得翻了个身，正扣

zài xī li hū lū de liǎn shang
在 唏 哩 呼 噜 的 脸 上。

āi yō mēn sǐ le
哎 哟，闷 死 了，

pì gu yě shuāi de hǎo téng
屁 股 也 摔 得 好 疼！

yǒu shéi bǎ tā liǎn shang
有 谁 把 他 脸 上

de dàn gāo xiān xià qù xiǎo zhū zhēng kāi yǎn jing kàn shì mā ma
的 蛋 糕 掀 下 去，小 猪 睁 开 眼 睛 看，是 妈 妈！

zhū tài tai bǎ bèi zi jiē kāi bǎ xī li hū lū bào dào chuáng
猪 太 太 把 被 子 揭 开，把 唏 哩 呼 噜 抱 到 床

shang qù bù mǎn yì de láo dao shuō zhēn méi bàn fǎ dōu zhè me dà
上 去，不 满 意 地 唠 叨 说："真 没 办 法，都 这 么 大

le shuì jiào hái shi bù lǎo shi
了，睡 觉 还 是 不 老 实！"

xiǎo zhū wán quán qīng xǐng le
小 猪 完 全 清 醒 了。

āi zhēn kě xī yuán lái dǎ biàn tiān xià wú dí shǒu zhǐ bú guò
唉，真 可 惜！原 来 打 遍 天 下 无 敌 手 只 不 过

shì yí gè mèng
是 一 个 梦！

yǒu shéi zài dà mén wài hǎn
有 谁 在 大 门 外 喊：

xī li hū lū
"唏 哩 呼 噜！"

kuài chū lái ma　　 lǎn dàn zhū dà xiá
"快出来嘛，懒蛋猪大侠！"

xiǎo zhū　jí máng tiào qǐ lái chuān yī fu　　hǎn tā de shì tù zi líng
小猪急忙跳起来穿衣服。喊他的是兔子玲

líng hé xiǎo hóu zi pí pi　　wā wū lǎo shī de xīn xué xiào jīn tiān kāi
玲和小猴子皮皮。哇呜老师的新学校今天开

xué　 tā men zuó tiān jiù yuē hǎo le yào yì　qǐ shàng xué de
学，他们昨天就约好了要一起上学的。

小猪唏哩呼噜为什么如此令人着迷

儿童阅读推广人　阿甲

　　2005年《父母必读》杂志与红泥巴读书俱乐部举办了第一届Top 10童书评选活动，活动前后持续了近一年时间，针对近几年出版的童书，以适合0~8岁儿童阅读的图书为主，分别由读者投票、专家投票和编辑投票，最后综合决出前10名。此次评选没有限定图书原始出版的范围，因此进入前10名的绝大多数是从国外引进的图画书，只有一本国内原创童书入选，而且还不是图画书，这就是孙幼军先生的《小猪唏哩呼噜》。

　　以"小猪唏哩呼噜"为主人公的系列童话，是孙幼军先生主要创作于20世纪90年代初的童话代表作。老先生当时已接近花甲之年，他曾在60年代创作了当代经典童话《小布头奇遇记》，影响了整整一代人，但由于历史原因辍笔多年，直到80年代才恢复创作，此时仍处于童话创作的高峰期。小猪唏哩呼噜的故事是那种令人非常愉快的童话，秉承了作者一贯的幽默风趣的语言风格，而且在"儿童观念"上远远跨越作者早年的理解，对孩子们甚少训教，充满了理解和爱怜。

　　1990年，孙幼军先生获得国际安徒生奖作家奖提名，同年获得画家奖提名的还有插画家裘兆明女士，他们一同赴美参加了IBBY大会。同行中愉快的交流促成了他们的合作，两位国内首次获得安徒生奖提名的作家和画家联手创作了最初的版本——《唏哩呼噜历险记》，由湖南少年儿童出版社出版。不过非常遗憾，这本文图俱佳的作品开始并没有在大陆市场上获得成功，倒是在台湾由《民生日报》出版的繁体字版取得了一

定的佳绩。

2002年底春风文艺出版社再版，书名定为《小猪唏哩呼噜》。除故事内容做了一些修改外，新版最大的变化是在形式上，采用了四四方方的开本，大幅彩色封面，内页的插图、版式也开阔了许多，一看就是专门为孩子准备的书。在形式上，旧版将读者群定位在有独立阅读能力的小学生以上，而新版则向下兼容，看上去也很适合讲给幼儿听。

我自己很喜欢这本新版的书，读给上幼儿园的女儿听，她也很喜欢；到学校去给一到三年级的小同学讲这个故事，他们也很喜欢。于是在2003年出版的《让孩子着迷的101本书》中用专门的一篇推荐了它。红泥巴读书俱乐部从一开始就向家长、老师和孩子们推荐，推荐的渠道主要是在网络上。我们推荐给《父母必读》杂志的编辑们，她们中有不少是读《小布头奇遇记》长大的，于是她们也喜欢上了这本书，读给她们的孩子听，通过杂志推荐给更多的家长和孩子。就这样，越来越多的人开始关注起可爱的小猪唏哩呼噜了。

在新版的编排设计中，编辑的确抓住了这本书的要害。别看是那么长篇的一本书，在骨子里面它是非常符合幼儿心理的故事，语言也相当口语化，非常适合直接读给孩子听。在结构上，它由四个独立的中篇童话构成，而每一篇又分章节，每一节都不长，用正常的语速读，5~10分钟就能读完一节。而老先生在故事的讲述上也很有技巧，几乎每一节在结束时都留下一点儿悬念。可以设想一下，当你为孩子读这本书的时候，每天可只读一到两节，然后你就放下来，孩子很可能会追问"那后来呢"，你告诉孩子"明天请继续收听"，等到第二天大致相同的时间你再继续。就这样天天为孩子读，不到两个星期就可以全部读完。

在西方的童书中，有一种类型叫作Readaloud，意思是"适合大声为孩子读的书"，绝大多数图画书和部分童话、小说都被认为是Readaloud，有

些作家在创作时就有这种特定的追求，比如英国作家达尔创作的大部分儿童小说都是典型的Readaloud，他的经典名篇《詹姆斯与大仙桃》被誉为英文世界中最适合为孩子读的书。如果借用这个概念，不难发现《小猪唏哩呼噜》就是一部典型的Readaloud。可惜在简体中文世界里，这种适合直接为儿童大声读的书是很少的，而特意为孩子们创作这种作品的作家更是少之又少，孙幼军就是这样一位作家。

当你捧起《小猪唏哩呼噜》，最好不要默读，请大声地读，读给孩子听，读给自己听，你就能领略它的魅力，知道它为什么会那么令孩子和妈妈们着迷了。许多为孩子读过这本书的妈妈们，在网上留下了她们的感想和书评。后来连老师们也加入进来，他们为小学低年级的孩子们读，获得了前所未有的成功。心怀感激的读者希望向孙幼军先生表达敬意，甚至会发邮件给我，托我转达。其中有位妈妈的讲述特别让我感动，她说自己四岁多的儿子特别喜欢听这本书，她已经为他读了几遍。可是妈妈要到异地去工作一段时间，临走前她对着录音机读了几个晚上，这样儿子每天晚上又可以听到妈妈读的《小猪唏哩呼噜》了。

2005年12月Top 10童书评选颁奖大会上，孙爷爷来到家长和孩子们的中间。他站在临时围起来的舞台中央，为孩子们读《小猪唏哩呼噜》的开头部分，所有的人都开心地笑了。专注的孙爷爷没有留意到，在他脚边的泡沫地板上趴着一个小男孩，抢在他的前头，一句一句地把这一节全背了下来。大会结束后，许多读者带着孙爷爷签名的书离开，一个小女孩缠着妈妈，让她一边走一边继续读后面的章节……

真正让孩子着迷的书，大概就是这样吧。

2006年5月

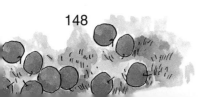

孙幼军 1933年出生于黑龙江省哈尔滨市，2015年8月6日辞世。一生跨越了许多不平凡的时代。童话般地创作了一部了不起的童话——《小布头奇遇记》，感动了几代人，成为经典。他主要从事童话创作，曾获得中国作协全国优秀儿童文学奖、第二届全国少儿读物评奖一等奖、中国国家图书奖提名奖、宋庆龄儿童文学奖首奖等多种奖项。1990年获国际儿童读物联盟荣誉奖及国际安徒生奖提名，是我国第一位获此殊荣的作家。

一生笔耕不辍，著作等身，代表作有《小布头奇遇记》《没有风的扇子》《怪老头儿》《小猪唏哩呼噜》《小济公传》等。

裘兆明 1940年生，浙江嵊州人。中国美术家协会会员，人民美术出版社正编审。1964年毕业于中央美术学院，师从李可染、李苦禅、叶浅予、宗其香诸先生。作品频繁在国内外展览、收藏、获奖。巨作《雾中傣家》在天安门长期展挂并收藏。1990年获国际儿童读物联盟荣誉奖及国际安徒生奖提名，是中国第一位获此殊荣的画家。1999年获"世界杰出华人艺术家"称号及世界华人国际荣誉金奖。2001年入选全国"百年中国画展"。2003年在北京举办"裘兆明山水画展"。有多种出版物面世，入编《中国现代美术家人名大辞典》等许多辞书及大型画册。